BT
REPORT

# 국내외 조선산업 분석보고서 2022

저자 비피기술거래 비피제이기술거래

## <제목 차례>

# 01

# 서론

# 1. 서론

[그림 1] 조선산업

우리는 바다를 통해 많은 발전을 이뤄오고 있다. 특히 바다를 통한 무역은 특정 지역에만 국한되어있던 생산과 소비를 전세계로 확장시켰고, 지구에 인류가 존재하는 한, 해운업은 지속될 것이다.

최근 조선산업에는 환경규제, 코로나19등과 같은 큰 바람이 많이 불었다. 예상보다 코로나19가 장기화되면서 발주처의 자금 압박이 증가함에 따라 선박 인수 연기 및 거부의 가능성, 철광석 등 원재로 가격 상승에 따른 후판가 인상 압박, 투자 지연 및 원화 약세로 인한 선가 하락의 가능성이 제기되고 있다. 하지만, 환경규제로 인해 15년차 선박의 대부분이 5년 내에 폐선, 교체되어야 한다면 향후 5년간 연 52백만CGT 수준의 발주량이 가능한데, 이는 호황기에 준하는 수준이다. 비록, 노후선의 숫자에는 한계가 있으므로 발주가 일시적으로 편중되면 이후 장기간의 불황이 우려되기는 하지만 여전히 환경규제로 인한 수주량 상승에 대한 기대감은 높다.

이처럼 조선산업은 다양한 영향으로 인해 긍정적인 전망과 부정적인 전망이 공존하고 있다. 본 보고서에서는 이러한 조선산업의 시장동향, 산업동향, 기업동향을 살펴보고 이를 통해 조선산업을 전망해보고자 한다.

# 02

# 조선 산업 개요

## 2. 조선 산업 개요[1)2)]

조선·해양산업은 해운업, 해양개발 및 자원생산, 수산업, 군수산업 등의 분야 에서 사용되는 선박 및 구조물을 설계, 건조, 운반, 설치, 시운전, 운영· 유지, 철거, 해체하는 산업이다.

선박은 재화를 운송하는 상선과 기타 목적에 활용되는 특수선으로 분류할 수 있는데, 중대형 조선소에서는 주로 벌커, 컨테이너선, 유조선, LNG선 등 상선 건조에 주력을 다하고 있다.

해양플랜트는 해양자원개발에 활용되는 선박 및 구조물 등을 의미하는데 주로 대형 3개 조선소에서 해양플랜트를 건조한다.

[그림 2] 분야별 제품

1) 2017 조선,해양산업 인력현황 보고서, 해양산업 인적자원개발위원회, 2017.07
2) Shipbuilding 상승 압력이 강해진다, 이동헌, 대신증권, 장기전망 시리즈, 2019.05.24
3) 2017 조선,해양산업 인력현황 보고서, 해양산업 인적자원개발위원회, 2017.07

조선업은 상선을 중심으로 하고 있다. 그렇다면 상선이란 무엇일까? 선박은 크게 상선과 비상선으로 나눌 수 있다.

| 대분류 | 중분류 | 소분류 |
| --- | --- | --- |
| 상선 | 여객선 | 일반 여객선, 화객선, 연락선 |
| | 화물선 | 일반 화물선 또는 잡화선 |
| | | 전용선 : 목재전용선, 광석전용선, 석탄전용선, 곡물전용선, 시멘트전용선, 유류전용선, 화학물전용선, 액화가스전용선 |
| | | 컨테이너전용선, 자동차전용선 등 |
| 어선 | 어로선 | 포경선, 트롤어선, 다랑어 주낙어선, 자망 어선, 건착망 어선, 기선, 저인망 어선 |
| | 어획물 운반선 | |
| | 공모선 | |
| | 특수어선 | |
| 특수선 | 실습선, 측량선, 준설선, 병원선, 해저 전선 부설선, 예인선, 소방선, 등대선 등 | |
| 군함 | 항공모함, 순양함, 구축함, 호위함, 잠수함 고속정 등 | |

[표 1] 선박의 분류

**① 상선**

상선은 크게 여객선과 화물선으로 나뉘는데 주로 화물선이 분석의 범위가 된다. 여객선은 국내 메이저 조선소가 세미크루즈를 인도한 적이 있지만 본업으로 자리잡지는 못했다.

대형 크루즈의 경우 상위 몇 개 업체(Fincantieri, Aker Yards ASA 등)가 시장을 독식하고 있다. 크루즈는 선박 제조가격의 80% 이상이 인테리어와 기자재일 정도로 속성이 상선과 다르다.

상선을 구분해보면 크게 유류 관련선과 화물선으로 나눠 볼 수 있다. 유류 관련선은 해양 유전을 시추하는 드릴십부터 원유나 화학제품을 운반하는 PC선까지 에너지와 관련된 모든 범위를 포함한다. 화물선은 일반 화물선과 컨테이너로 구분된다.

유조선은 사이즈(DWT, Dead Weight Ton, 적재중량)별로 아프라막스(Aframax, 8~11만톤), 수에즈막스(Suezmax, 13~15만톤), 대형유조선(VLCC, Very Large Crude Carrier/Tanker, 20~30만톤), 초대형 유조선(ULCC, Ultra Large Crude Carrier, 30만 톤 이상)이라고 명하며 통상 30만톤 이상을 VLCC, 40만톤 이상을 ULCC로 부른다. 운하를 통과할 수 있는 선박을 기준으로 케이프 사이즈(Cape, 7~8만톤), 파나막스(Panamax, 5~7만톤), 핸디 막스(Handy, 4.5만톤 이하)로 나뉜다.

화물선은 크게 벌크선과 컨테이너선으로 나뉜다. 벌크선(Bulk Carrier)은 포장하지 않은 화물을 그대로 적재하는 화물 전용선이다. 석탄전용선, 광석전용선, 시멘트전용선, 곡물전용선 등이 여기에 속하며, 기술 난이도가 높지 않아 제조지역이 중국으로 넘어가고 있다.

PC선(Product Carrier)은 유조선과 모양과 구조가 같지만 실는 화물이 원유가 아닌 화학제품이라는 점만 상이하다. 부식성이 있는 화학제품 운반을 위해 유조선과 달리 화물탱크 안에 도료가 칠해진다. 주로 휘발유, 경유, 증유 등을 수송한다.

가스 운반선은 통상 LNG선과 LPG선을 모두 합쳐 지칭한다.

**② 비상선**

비상선에는 어선, 특수선, 군함 등이 속한다. 비상선의 경우 사용의 범위가 제한되어 있어 선박건조 시장과 전후방 산업의 파급력이 상선에 비해 상대적으로 작아, 국내 조선사도 비상선 수주는 종종 있는 정도이고 주력사업은 아니다.

비상선 중 어선은 크기가 다양하고 발주 사이클의 가늠이 어렵고, 특수선도 발주 여건의 분석이 불가하며 군함의 경우 국내 진수되는 군함과 수출용을 많이 건조해 왔지만 군사력과 관련되어 대외비인 경우가 대부분이다.

조선산업은 전후방 산업연관 효과가 큰 자본, 노동, 기술집약적 산업이다. 이에 대해 좀 더 자세히 살펴보도록 하자.

**① 자본집약적**

조선산업은 선대, Dock, Crane 등 대형설비가 필수적이므로 막대한 설비자금과 장기간의 선박건조에 소요되는 운영자금이 뒷받침되어야 하는 자본집약적 산업이다.

**② 노동, 기술집약적**

선박의 건조공정은 매우 다양하고 대형 구조물의 제작상 자동화에도 한계가 있기 때문에 적정규모의 숙련된 기능 인력 확보가 필수적이며, 고도의 생산기술이 요구되므로 노동, 기술집약적 산업이다. 이처럼 조선산업의 경우 종합조립산업의 특성 때문에 전방산업 뿐 아니라 철강, 기계, 전기, 전자, 화학 등 후방산업에 대한 파급효과 매우 크다고 할 수 있다.

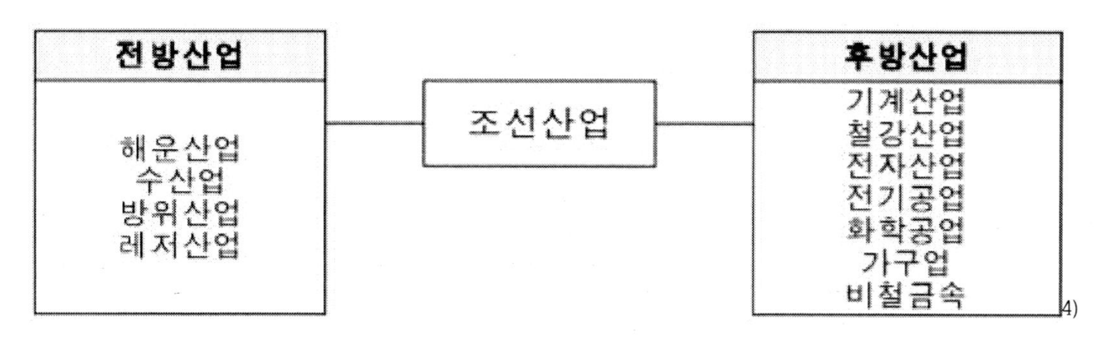

[4]

[그림 3] 조선산업의 전후방 연관산업

4) 2017 조선,해양산업 인력현황 보고서, 해양산업 인적자원개발위원회, 2017.07

조선산업의 경우 항로, 적재화물 및 선주의 요구에 따라 선종이나 선형이 달라지기 때문에 양산체제가 불가능하고 선주의 개별적인 발주에 의해 선박을 건조하는 주문생산방식의 산업이다. 계약시점에서 건조, 인도까지 2~3년 소요되며 주요 생산지는 동아시아이며 주요 수요지는 유럽지역이다.

특히 선박의 가격이 대체로 고가이기 때문에 수출선 건조 시 수출기여도 및 외화 가득률이 높고, 세계 선박시장이 단일시장(Global Market)이기 때문에 경쟁력이 확보될 경우 단시간내에 시장점유가 가능하다.

# 03

## 세계 조선시장 동향

# 3. 세계 조선시장 동향

## 가. 시장 동향

### 1) 키워드로 보는 조선시장 동향[5)]

2021년 조선시장에 중요한 영향을 미칠 것으로 선정된 변수들은 ①수주잔량의 부족, ②석유경제의 축소, ③환경규제 강화로 요약할 수 있을 것이다.

#### 가) 전세계 수주잔량의 부족

2020년 신규수주 시장은 반토막났다. 10개월 누적기준 수주로 비교하면 전세계 신규수주량이 48.4% 감소했다. 10개월 누적 수주량은 1,155만 CGT여서 전세계 연간기준 건조 가능량 대비 1/3 수준이다. 남은 2개월 동안 수주할 분량을 가정하여 생각해 보면 2020년 신규수주량은 1,336만 CGT가 될 것으로 보여 전년대비 수주량은 53% 감소할 것으로 보이고, 연간 생산 가능량의 40% 수준에 그칠 것으로 보인다.

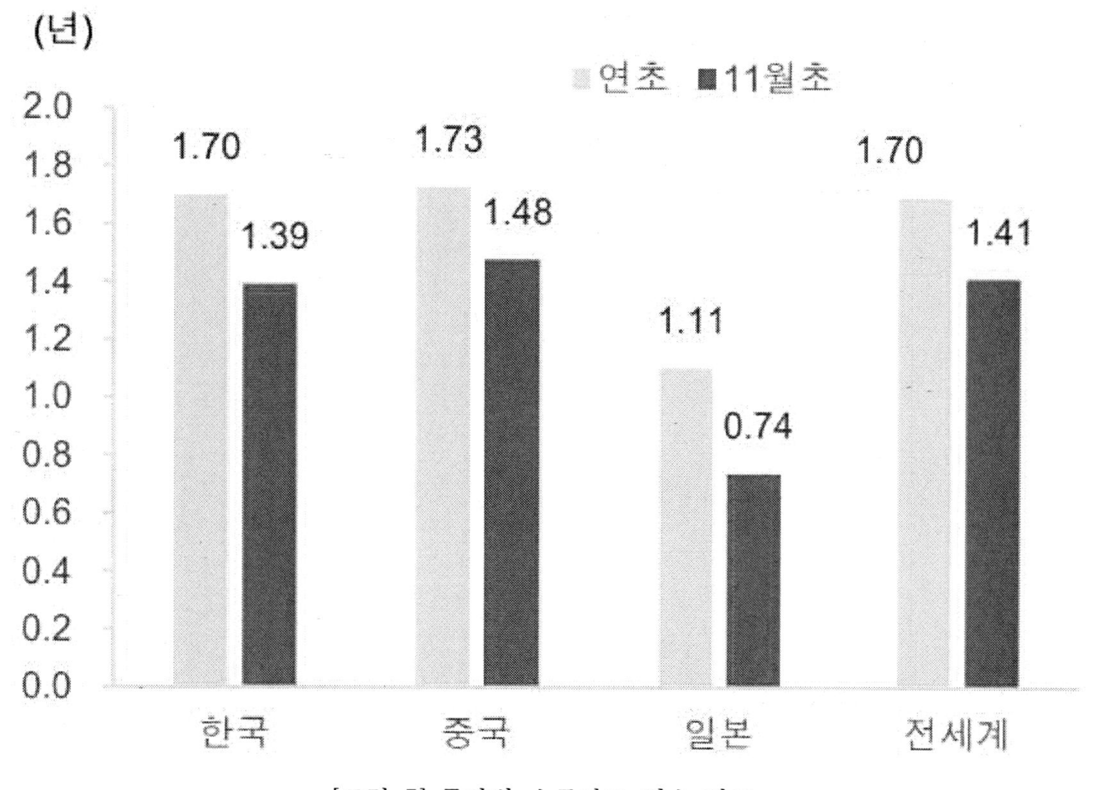


[그림 5] 국가별 수주잔고 연수 비교

선박은 조선소에서 계속 만들어져 인도되는데, 새로 확보한 물량이 40% 정도밖에 안 되는 상황이라 진행기준 수주잔고 줄어드는 속도에 걱정이 이만 저만이 아니다. 연초 1.70년에 달했던 전세계 조선소 진행기준 수주잔고는 10개월 사이 1.41년까지 줄어들었다.

---

5) 2019년 조선업 Keyword: '산업 내 구조조정', 'LNG선 수주 증가', '환경규제 강화', 김연수, NICE 신용평가, 2019.05.09

한국은 연초에 1.70년으로 시작해서 1.39년까지 줄었고, 아시아 3국 중 2번째 빠른 감소를 보였다. 가장 많이 줄어든 나라는 일본으로 연초 1.11년으로 시작하여 0.74년이 되도록 줄었다. 가장 긴 잔고를 보유한 국가는 중국이지만, 중국도 1.73년에서 1.48년까지 줄어 매출이 줄기 시작하는 임계치를 건드린 것은 마찬가지이다.

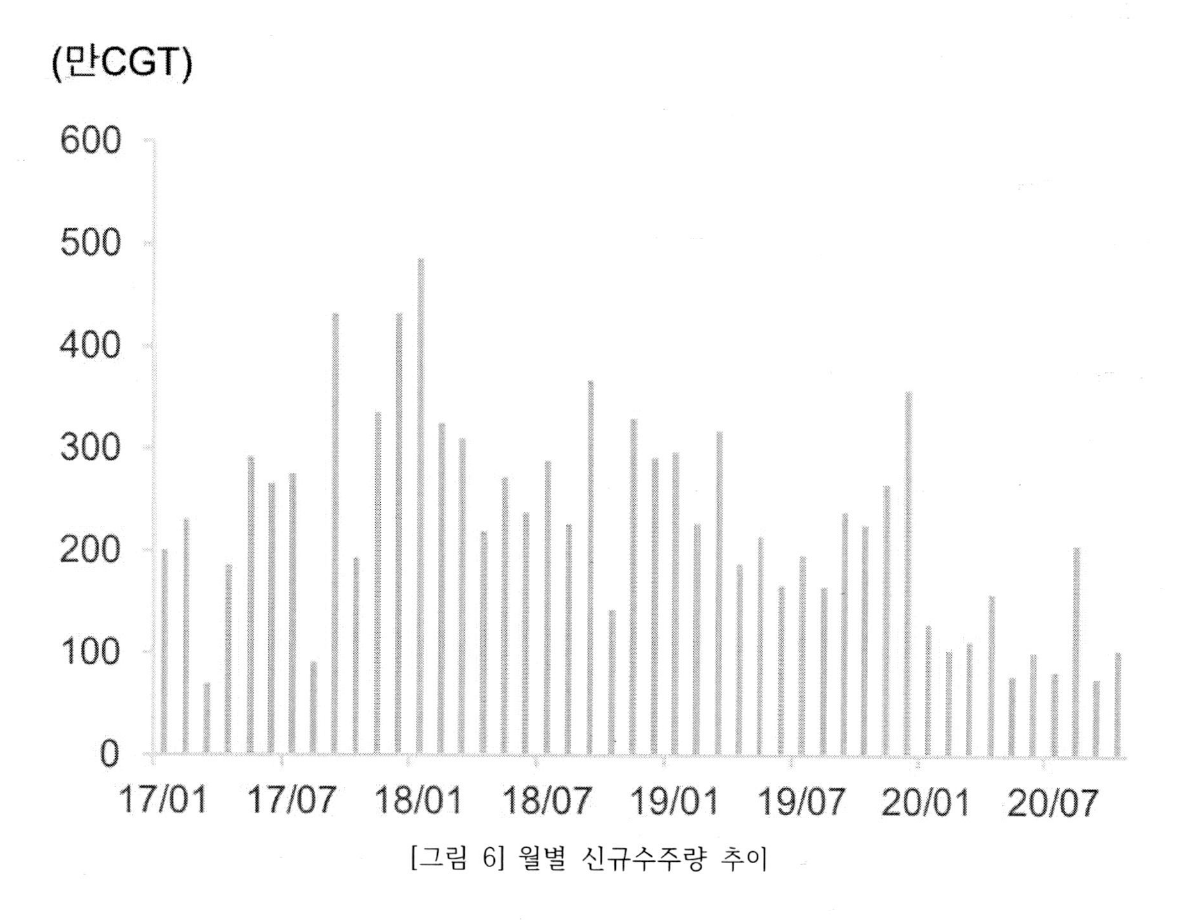


[그림 6] 월별 신규수주량 추이

전세계 곳곳의 제조현장의 지표나 소비지표 등은 4월을 저점으로 점진적으로 회복 중에 있다. 심지어 조선소에게 발주를 주는 해운사 수익의 선행지표인 운임 중 하나인 SCFI(상하이발 컨테이너 운임지수)는 지수 발표 이후 가장 높은 수치를 기록하고 있기도 하다. 그럼에도 불구하고 2020년 조선 신규수주량은 크게 반등하지 않고 있다. 2020년 들어 레벨 자체가 낮아진 수주에 머물러 있다.

### 나) 석유경제의 축소

오일은 선박이 운항할 때 가격 변동성이 큰 비용요소이기도 하지만, 많은 부분을 차지하는 화물이기도 하다. 원유의 소비, 원유의 이동, 정유/화학제품의 소비, 제품의 이동이 활발하게 일어나야 선박이 많이 필요해진다. 과거의 기록을 곱씹어 보아도 선박발주시장은 석유경제를 역행한 적이 없다. 즉, 저유가에서 많은 발주가 이루어지지 않는 것이다.

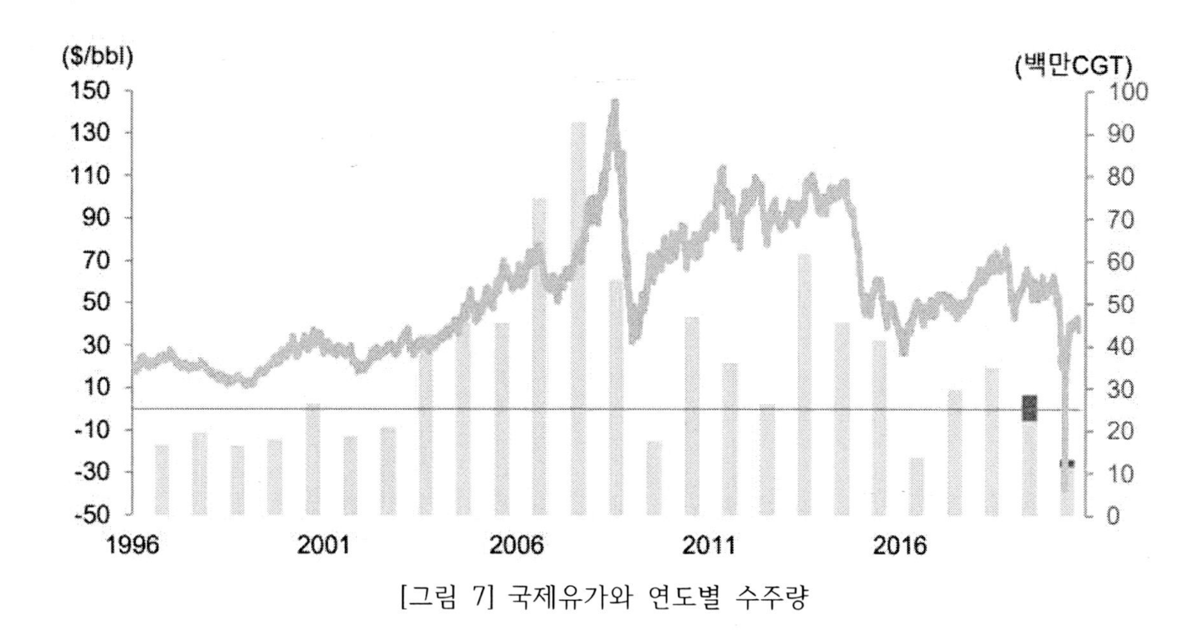


[그림 7] 국제유가와 연도별 수주량

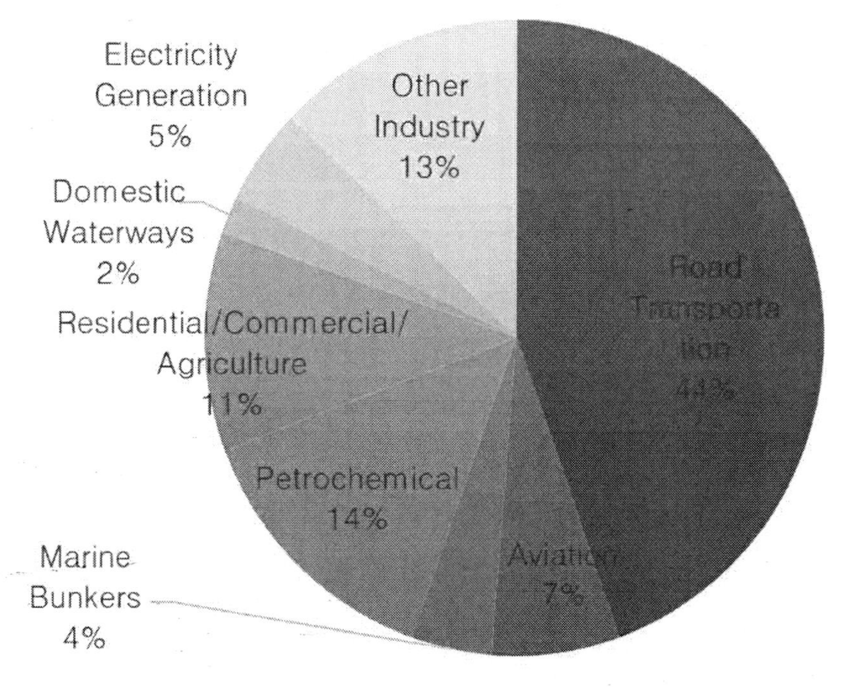


[그림 8] 소비분야별 유류 수요 비중 (2019년 기준)

코로나 유행의 영향은 친환경에 대한 투자 속도가 빨라졌다는 점이다. 선박시장의 경우 2020년 들어서 수주잔고 중 친환경 연료 이용 추진엔진선의 비중이 급격하게 상승했다.

고유가 상황이어야 유류를 대체할 수 있는 연료를 적극적으로 찾을 것이라는 시장의 예상을 뒤집는 결과로 볼 수 있다. 친환경 선박으로의 전환은 신기술 선박에 대한 투자 증가로 조선 업체들이 고부가가치 물량을 확보하는 기회가 될 수 있다.

2021년 조선업계의 수주전망에 있어서 가장 큰 전제는 오일 수요자의 시장복귀다. 저유가에서 촉발되기 시작한 친환경 선박투자와 유가상승에 따른 비효율 선박의 교체가 동시에 이루어짐에 따른 회복을 기대한다. 인도점유율 기준으로 의미 있는 한 축(24.4%)을 기록하던 경쟁국인 일본의 시장 후퇴와 한국의 전진을 예상하며 조선업체 산업투자의견을 기존 중립에서 비중확대로 상향한다.

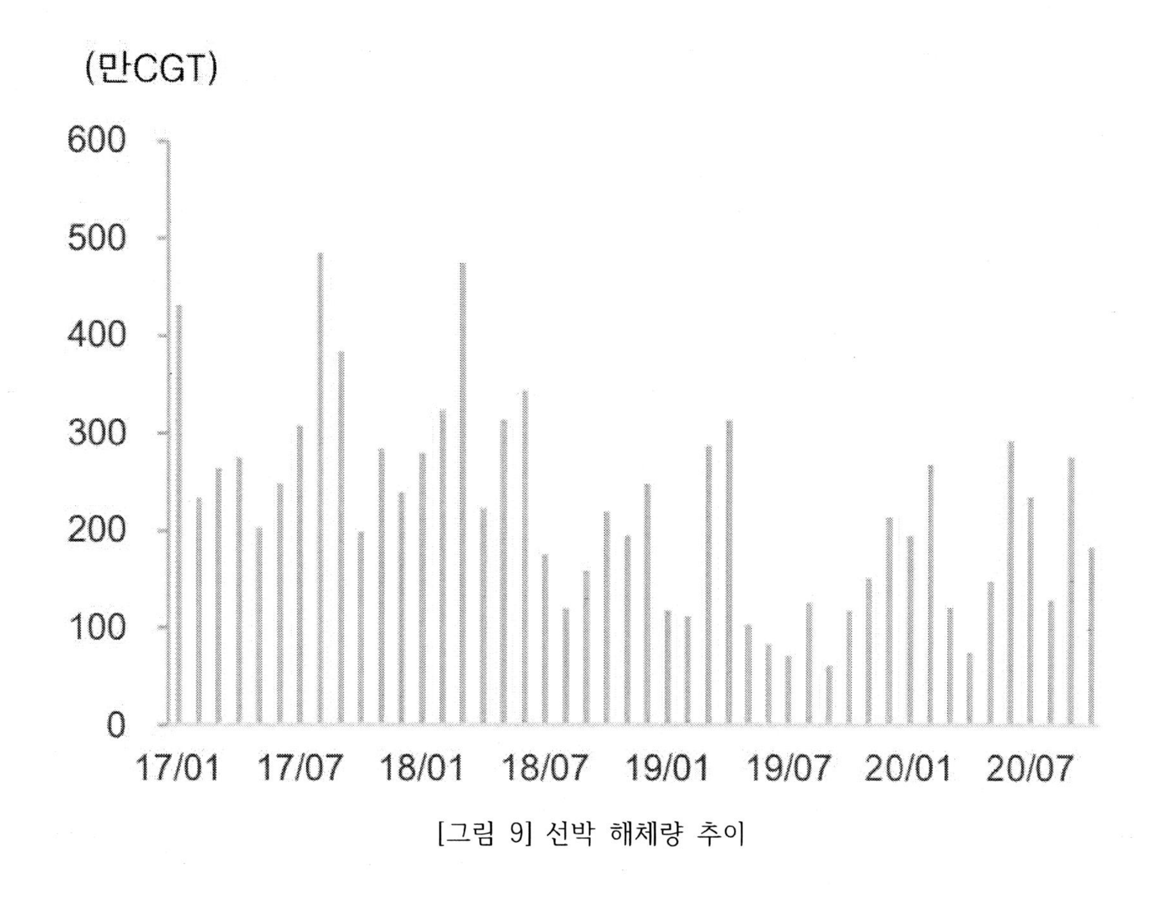


[그림 9] 선박 해체량 추이

### 다) 환경규제 강화

'환경규제 강화' 관련이슈는 앞서 살펴본 '산업 내 구조조정' 및 'LNG선 수주 증가'에 비해서는 아직까지 조선산업에 미치는 영향이 크지 않은 것으로 보이나, 중장기적으로 산업 내 큰 변화를 이끌 요인인 것으로 판단된다.

국제해사기구(IMO)는 해상오염물질 배출 감소를 위해 SOx(황산화물), NOx(질소산화물), CO2(이산화탄소) 등의 선박 배출가스에 대한 기준을 강화하는 규제를 시행하고 있다.

특히, 2020년 1월 1일 이후 적용될 SOx 배출규제는 기존 배출규제해역(ECA) 외 모든 해역에 걸쳐서 현재 황함유량 배출을 3.5% 수준에서 0.5% 수준 이하로 줄일 것을 요구하고 있다. 이에 따라 각 선주사들은 이를 준수하기 위한 방법들을 고려하고 있으며, 현재까지는 저유황유 사용, Scrubber 설치, LNG추진선 신조 등 크게 3가지의 방법이 있는 것으로 파악된다.

| 구분 | 저유황유 사용 | Scrubber 설치 | LNG 추진선 신조 |
|---|---|---|---|
| **개요** | 기존 고유황유 대신 저유황유 사용 | 기존 선박에 SOx 배출을 줄이는 장치 설치 | 기존 고유황유 사용 대신 LNG를 연료로 사용하는 신조 발주 |
| **장점** | 추가적인 설비비용 없음 | 기존 고유황유 사용 가능 | SOx 외 기타 배출가스 등에 대한 규제 모두 준수가능 |
| **단점** | 고유황유 대비 저유황유 가격 비쌈 | 현재 Scrubber 공급량이 제한적이며 화물적재공간 감소 | 신조가격이 기존선가 대비 20~30% 비싸며 각국의 LNG 인프라 구축 필요 |

[표 2] SOx 배출규제 준수를 위한 대응방안

3가지 방식 중 단기적으로 현실적인 대안은 저유황유 사용으로 보이며, 중장기적으로는 LNG 추진선 신조를 선택할 것으로 전망된다. 현재 저유황유가 고유황유 대비 40~50% 수준 고가인 점을 고려할 때, 해상운임의 상승이 동반되지 않는다면 향후 선주 및 화주간의 비용 전가 이슈가 크게 부각 될 것으로 판단된다.

또한, 국제 유가의 변동수준에 연계하여 저유황유가의 변동성이 크게 나타날 가능성이 내재되어 있는 점, 국제사회의 친환경 정책 추진 기조 및 협력 강화 추세 등을 추가적으로 감안할 때, 중장기적으로는 LNG 추진선(LNG연료 사용) 신조로 업계의 선택 방향이 이동할 것으로 예상된다.

## 나. 선종별 조선 산업 동향[6)7)]

### 1) 선종별 발주량

2020년 해운시황이 저조하지 않았음에도 불구하고 선주들이 일시적인 현상으로 판단하여 적극적으로 신조선에 투자하지 않고 관망세를 유지한 것으로 분석된다. 또한 국제유가와 연료유 가격이 낮은 수준을 유지하여 SOx 규제로 인한 연료비용 증가와 이에 따른 노후선 폐선 기대감을 무너뜨리며 신조선 발주는 전년대비 크게 감소했다. 다만 4분기 들어 발주량이 크게 증가하며 개선 양상을 보였고 이는 긍정적 신호로 해석된다.

2020년 1~3분기 중 분기당 350~390만 CGT에 불과하였던 신조선 발주량은 4분기 중 840만 CGT까지 증가하여 다른 양상을 보였다. 이러한 현상은 상반기 중 각국 봉쇄로 업무가 원활히 이루어지지 못하여 발주 시기가 하반기로 밀린 일부 물량이 포함된 점도 영향을 미쳤을 것으로 추정된다. 그러나 2020년 중 EU의 온실가스배출권 거래의무 시행안(2022년 시행) 통과, EEXI의 초안채택 등 보다 강경한 조치들이 현실화되며 노후선 교체에 대한 실질적 압력증가로 인한 수요증가 요인의 영향도 반영되었을 것으로 추정된다.

이러한 압력 하에 2020년 신조선 시황 부진으로 선가가 하락하여 4분기 중 투자여건이 선주들에게 유리하였던 점도 일부 선주들의 투자 단행에 영향을 미쳤을 것으로 추정된다. 2020년 중 부진하였던 발주 시황이 4분기 들어 큰 규모는 아니라 할지라도 급진전 된 점은 향후 시황 호전에 긍정적 영향을 미칠 것으로 기대된다.

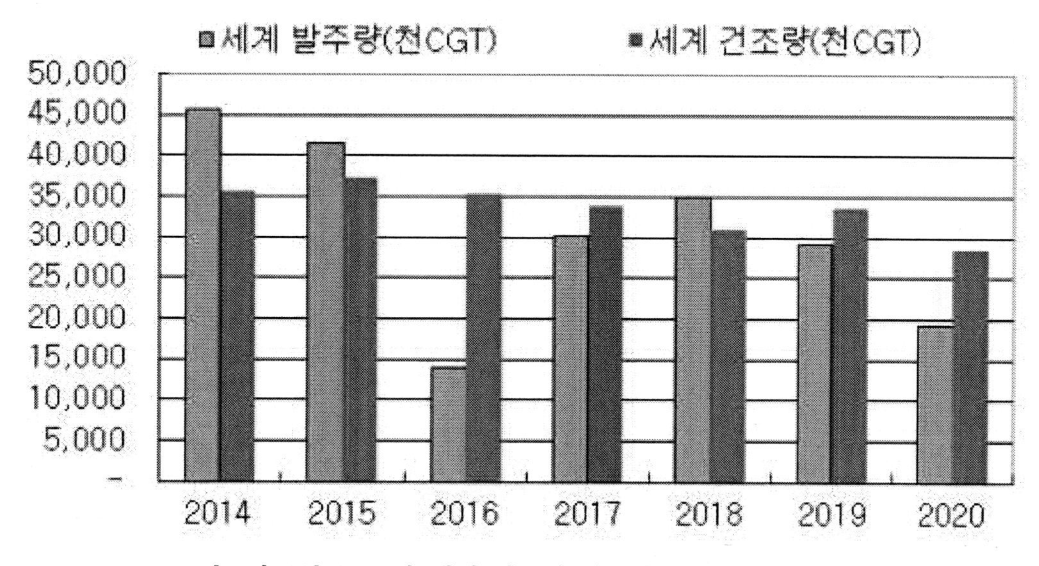


[그림 10] 2020년 세계 신조선 발주량 및 건조량 추이

2020년 세계 발주량은 1,924만 CGT로 전년대비 33.9% 감소했다. 2020년 4분기 중 발주량은 전년 동기대비 6.3% 감소한 804만 CGT였다. 2020년 발주액은 전년대비 46.9% 감소한 423.8억 달러였으며, 4분기 중 발주액은 전년 동기대비 32.9% 감소한 169.5억 달러였다.

6) 해운·조선업 2019년 상반기 동향 및 하반기 전망, 한국수출입은행, 2019.07.18
7) 해운·조선업 2019년도 3분기 동향 및 2020년도 전망, 한국수출입은행, 2019.10.30

2020년 세계 건조량은 전년대비 14.7% 감소한 2,869만 CGT를 기록했다. 2020년 4분기 중 건조량은 전년 동기대비 13.7% 감소한 621만 CGT였다.

2020년 하반기 이후 컨테이너선 시황의 호조로 선주들의 재무구조가 개선되고 투자심리가 상승하며 2016년 이후 처음으로 컨테이너선의 신조선 발주가 활성화되었다. 이러한 영향으로 1분기 중 컨테이너선을 중심으로 발주량이 크게 증가했다. 2020년 1분기 세계 발주량은 전년 동기대비 158.0% 증가한 1,024만 CGT였다. 동 기간 발주액은 전년 동기대비 164.7% 증가한 224.8억달러를 기록했다. 2020년 1분기 세계 건조량은 전년 동기대비 11.8% 증가한 815만 CGT를 기록했다.

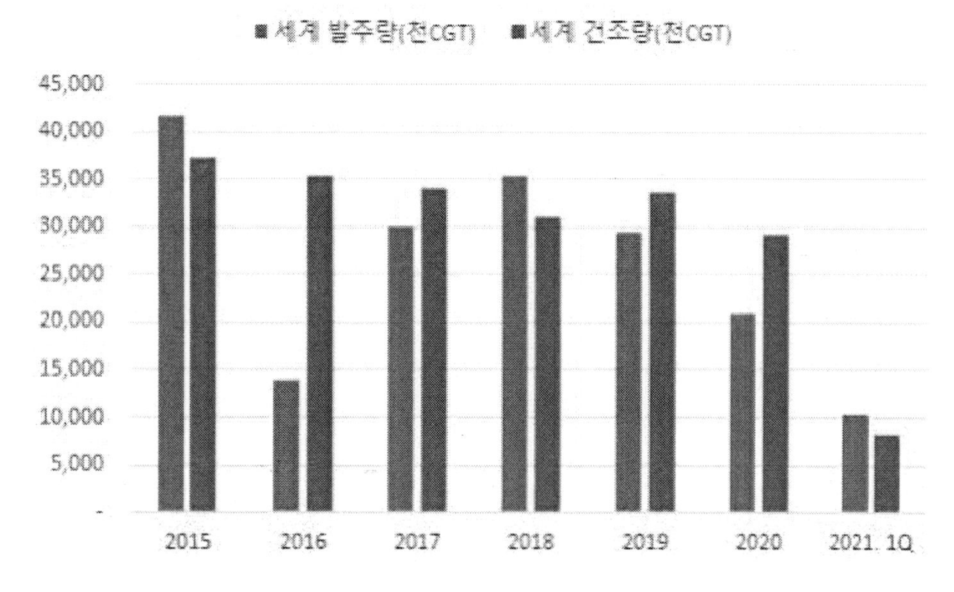


[그림 11] 2021년도 1분기 세계 신조선 발주량 및 건조량 추이

2020년 발주량(CGT 기준)은 컨테이너선만 전년 대비 5.1% 증가하였을 뿐, 모든 선종이 감소세를 나타냈으며 벌크선 53.4%, 탱커 13.8%, LNG선 3.9% 각각 감소했다. 컨테이너선의 발주량은 전년 대비 소폭 증가하였으나 전년도 발주량 역시 부진한 수준이므로 큰 의미를 부여하기는 어렵다. 이처럼 전반적으로 부진한 상황에서도 선은 여전히 양호한 수준을 유지했다.

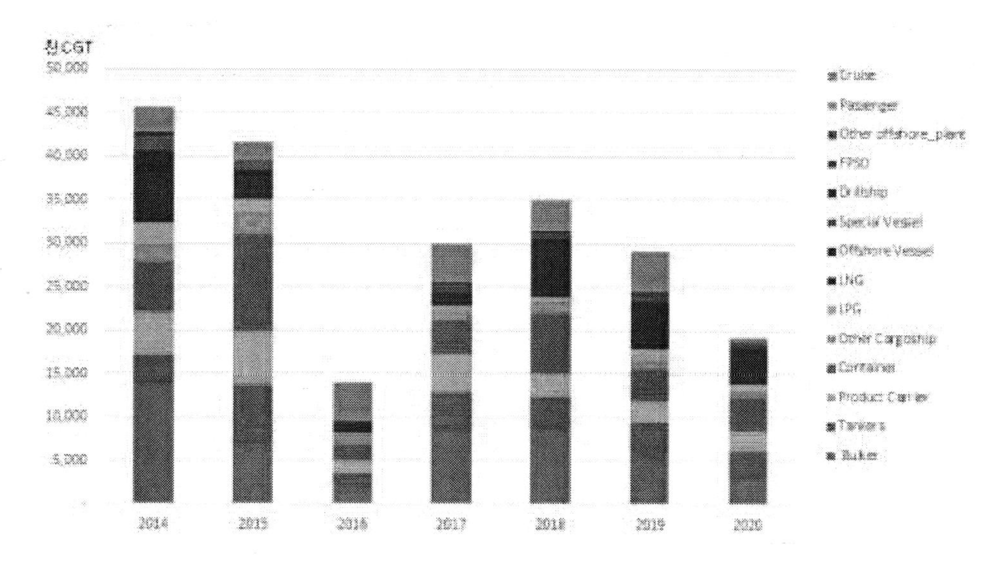


[그림 12] 2020년 선종별 세계 신조선 발주량 추이

2020년 1분기 컨테이너선은 전년 동기대비 901.6% 증가한 수준으로 1분기 세계 발주량 중 56%를 차지하여 발주량 증가의 핵심요인으로 작용했다. 그 외 유조선은 70.7%, 제품운반선은 4.4%, LPG선은 736.5% 각각 증가했다. LNG선의 전년 동기대비 발주량은 158.1% 증가하였으나 이는 전년도 1분기 수주가 극히 저조하여 발생한 기저효과이며 1분기 중 발주는 5척에 불과하고 아직까지 카타르 등 본격적인 발주는 이루어지지 않았다. 주요 선종 중 유일하게 벌크선의 발주는 전년 동기대비 37.4% 감소했다.

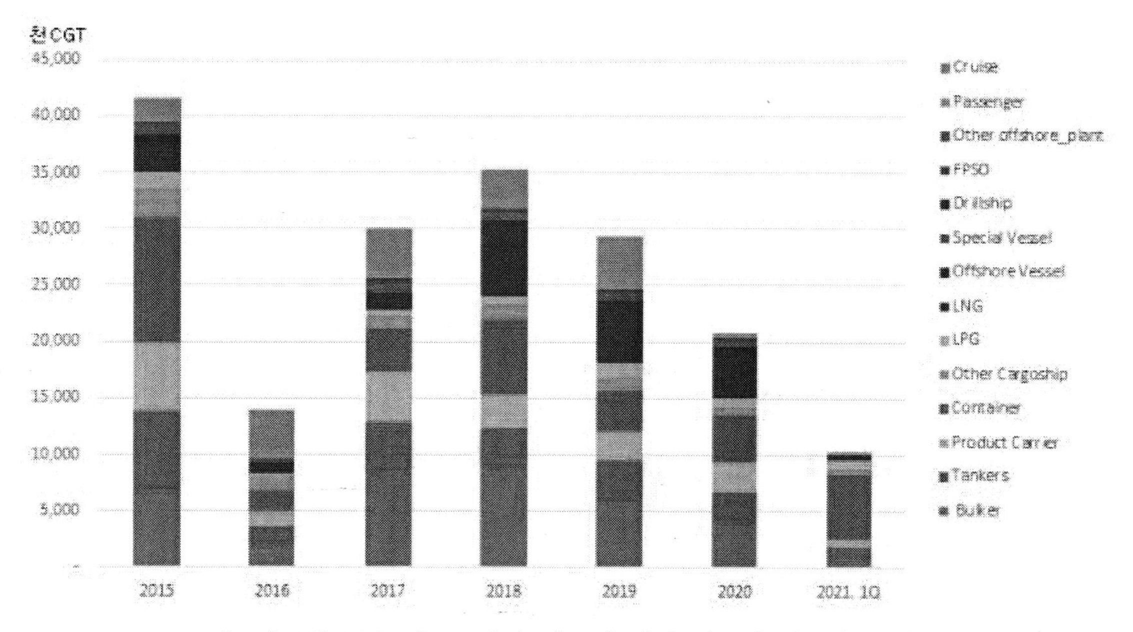


[그림 13] 2021년도 1분기 선종별 세계 신조선 발주량 추이

### 2) 선종별 신조선가

2020년 12월 Clarkson 신조선가 지수는 125.67로 전년말 대비 3.2% 하락하였고 시황이 호전된 4분기 중에도 0.7% 하락했다. 2020년 Clarkson 신조선가 지수는 3월 평균 130.20으로 전분기말 12월 평균 대비 3.7% 상승했다. 철강재 가격 인상을 고려할 때 1분기 중 신조선 가격의 상승수준은 평균적으로 이를 보완하는 수준이나, 비중이 높은 컨테이너선의 가격 상승폭은 이를 넘어서는 수준으로 조선업계 입장에서 긍정적으로 평가된다.

**① 탱커**

2020년 12월 탱커 신조선가 지수는 144.84로 전년말 대비 5.8% 하락하였고 4분기 중에도 0.5% 하락했다. 2021년 3월 탱커 신조선가 가격지수는 2020년 12월 평균 대비 4.2% 상승한 151.29로 비교적 양호한 수준을 보였다.

**② 컨테이너선**

2020년 12월 컨테이너선 신조선가 지수는 75.24로 전년말 대비 5.2% 하락하였고 4분기 중에도 1.2% 하락했다. 2021년 3월 컨테이너선 신조선가 가격지수는 2020년 12월 평균 대비 발주량이 크게 호전되어 10.3% 상승한 83.18을 기록했다. 컨테이너선은 선종들 중 가장 큰 상승폭을 기록했다.

**③ 벌크선**

2020년 12월 벌크선 신조선가 지수는 123.30으로 전년말 대비 3.7% 하락하였고 4분기에는 변화가 없었다. 2020년 12월 평균 대비 2021년 3월 벌크선 가격지수는 8.0% 상승한 133.21을 기록하여 비교적 양호한 수준을 보였다.

**④ 가스선**

2020년 12월 가스선 신조선가 지수는 133.90으로 전년말 대비 3.5% 하락하였으며 4분기 중에도 1.5% 하락했다. 2020년 12월 평균 대비 2021년 3월 가스선 가격지수는 1.7% 상승에 그친 136.12로 주요 선종 중 가장 작은 상승폭을 보였다.

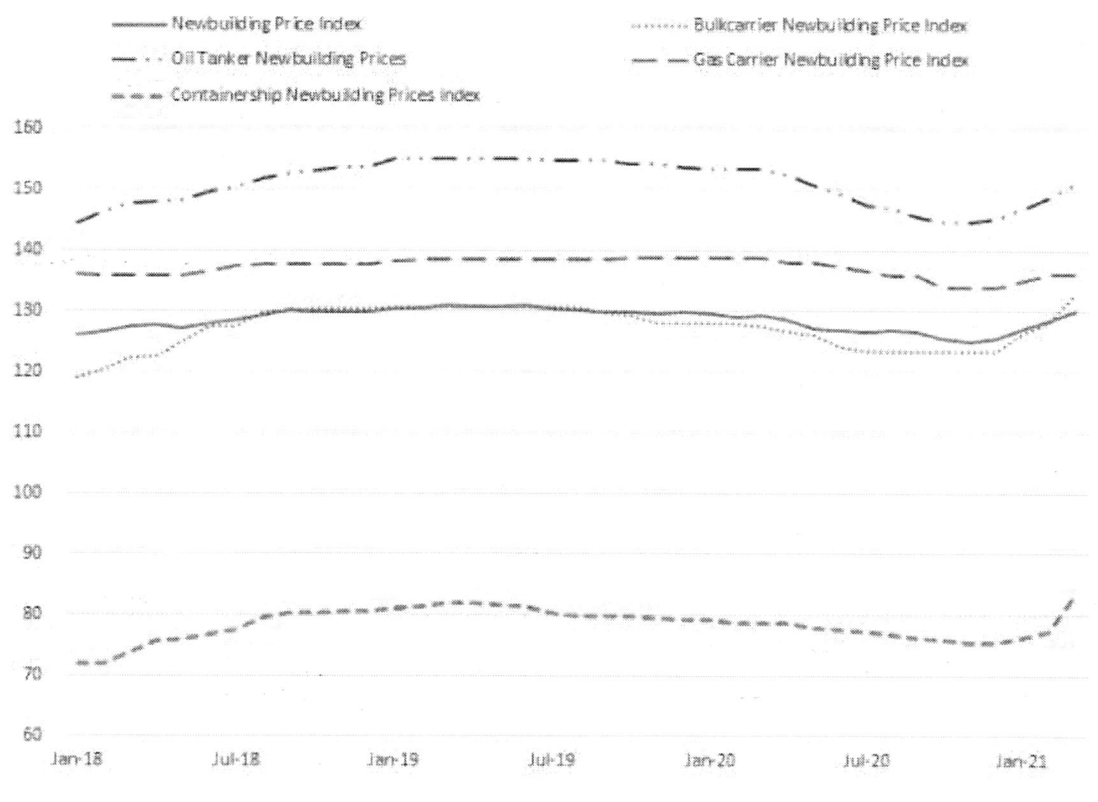


[그림 14] 신조선가 지수 추이

### 3) 주요 해운시장 동향

#### 가) 벌크선

2020년 벌크선 시황은 코로나19 사태에 따른 연초 중국 공장가동률 하락과 이어진 각국 봉쇄조치 등의 영향으로 상반기 중 크게 부진하였으며 이러한 영향으로 연평균 BDI는 1,066.2로 전년 대비 21.2% 하락했다. 특히, 코로나19 사태발발 초기인 1분기 평균 BDI는 전년 동기대비 49.7% 낮은 591.6으로, 1분기 평균치로서 지수발표 이후 역대 최저치인 2016년 1분기 358.4에 이어 두 번째로 낮은 수준까지 하락했다.

2020년 3분기 이후 중국 등의 경기부양 정책으로 철광석 운송수요가 크게 증가하고 중국 홍수에 따른 농작물 피해로 곡물수입까지 증가하며 점차 회복하는 추세를 보였다. 3분기 평균 BDI는 전년 동기대비 25.1% 낮은 1,521.6으로, 상반기의 우려와 달리 1,500선을 회복한 점은 긍정적이었다. 2020년 4분기에는 곡물시즌 종료로 다소 하락하여 전년 동기대비 12.8% 낮은 1,361.5를 기록했다.

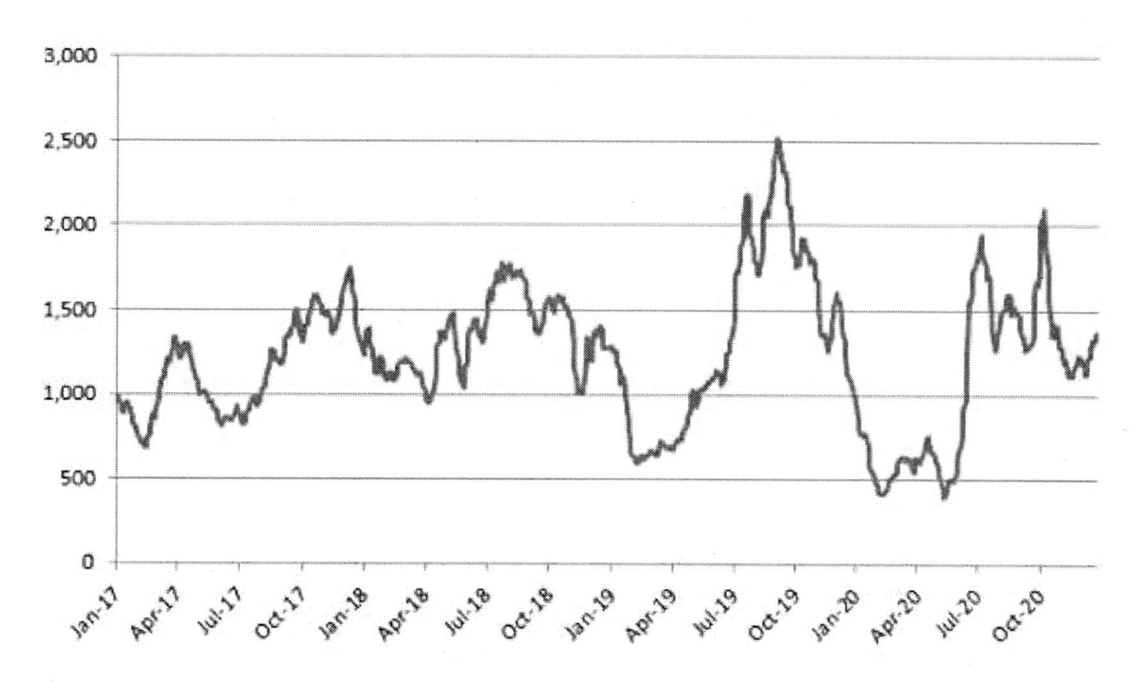


[그림 15] 2020년 벌크선 BDI 추이

2021년 1분기 벌크선 시황은 코로나19의 영향에서 벗어나기 시작한 전년도 하반기 이후의 상승흐름을 지속하고 있다. 1분기 평균 BDI는 1,738.8로 전년 동기대비 193.9% 높은 수준을 기록하였으며 1분기 평균 기준으로 2010년 3,026.7을 기록한 이후 11년만에 최고치를 나타냈다.

중국의 철강생산 제한정책에도 불구하고 전년도 코로나19 침체에 의한 기저효과와 각국의 경기부양 수요로 철광석, 석탄 등 벌크해운 수요가 크게 증가한 것으로 추정된다. 또한, 2019년 댐붕괴 사고로 생산차질을 빚었던 브라질 발레(Vale)의 철광석 생산 능력이 정상화되며 공급측 제한도 해소된 점 역시 긍정적으로 작용했다.

[그림 16] 2021년도 1분기 벌크선 BDI 추이

벌크선 용선료는 2020년 코로나19의 영향으로 1,2분기에 급락한 후 3분기에 운임 상승으로 다소 회복하는 흐름을 보였으나 4분기에 다시 조정양상을 보이며 하락했다. 하지만 2021년도 1분기 벌크선 운임의 호전으로 용선료는 큰 폭으로 상승했다.

**① Capesize 170Kdwt급**

Capesize 170Kdwt급 1년 정기용선료는 2020년 4분기 평균 1일당 14,173달러로 전분기 대비 11.1% 하락하였고, 전년 4분기 평균 대비 16.8% 낮은 수준을 보였다. 2021년도 1분기 기준 평균 용선료는 평균 1일당 17,808달러로 전분기 대비 25.6% 높은 수준을 기록했다.

**② Panamax급 75Kdwt급**

Panamax급 75Kdwt급의 1년 정기용선료는 2020년 4분기 평균 1일당 10,846달러로 전분기 대비 8.8% 하락하였고, 전년 4분기 평균 대비 7.9% 낮은 수준이었다. 2021년도 1분기 기준 평균 용선료는 평균 1일당 14,725달러로 전분기 대비 35.8% 높은 수준을 기록했다.

**③ Supramax급 58Kdwt급**

Supramax급 58Kdwt급 1년 정기용선료는 2020년 4분기 평균 1일당 10,207달러로 전분기 대비 1.2% 하락하였고, 전년 4분기 평균 대비 6.0% 낮은 수준이었다. 2021년도 1분기 평균 용선료는 1일당 14,154달러로 전분기 대비 38.7% 높은 수준을 기록했다.

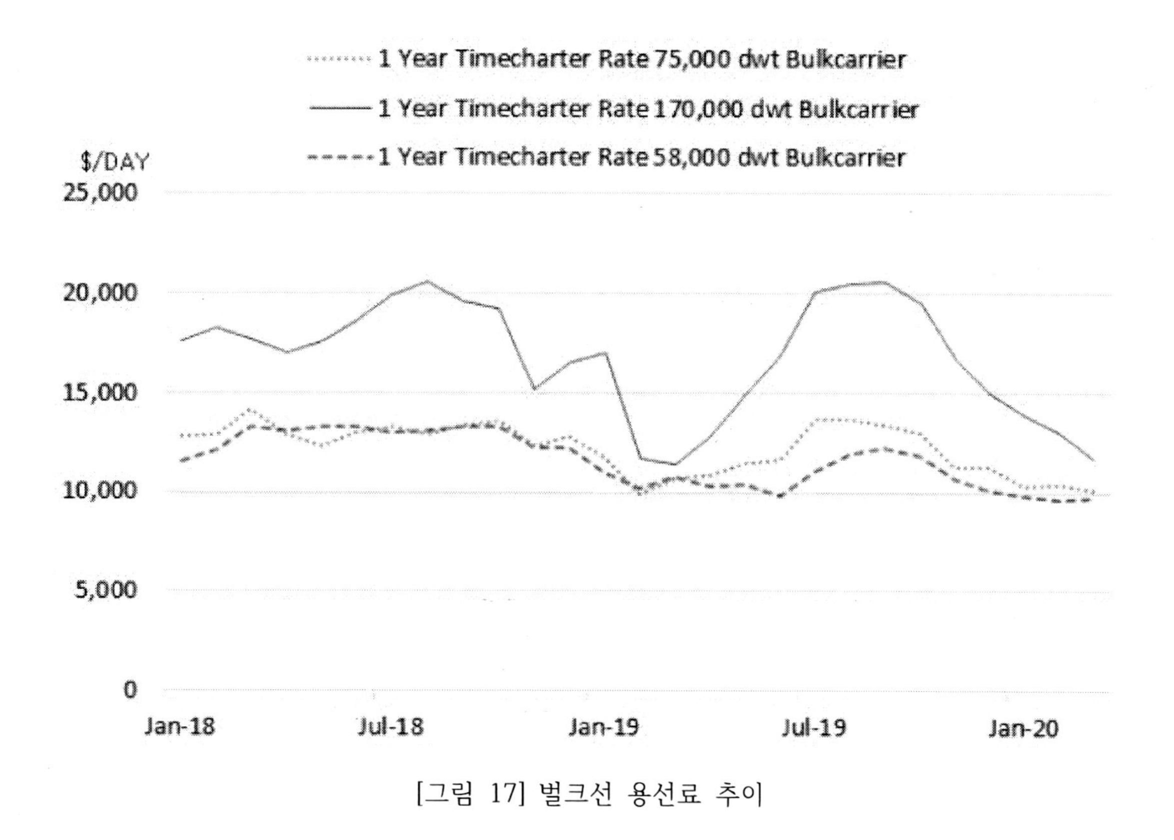


[그림 17] 벌크선 용선료 추이

금융위기 이후 중장기적 시황주기 상의 하락흐름이 2016년까지 이어진 후 2017년부터 개선되는 흐름이 나타나기 시작했다. 이러한 하락과 개선 흐름은 수요측 변수인 해운업의 성장보다는 주로 선복의 공급량에 의해 좌우된다.

금융위기 이후 운임지수의 급락은 세계 경기둔화와 해운수요 증가율 둔화에도 원인이 있으나 그보다 금융위기 직전까지 진행된 호황기의 과잉발주에 기인하며, 2012년까지 호황기 발주물량이 집중 인도되며 운임의 하락속도를 가속화했다.

이후 2013년 에코십 발주붐이 일어나며 2014년까지 다량의 선박이 발주되어 이들 공급량이 2016년까지의 하락 장세를 가져온 것으로 추정된다. 2015년 이후 신규 선박 발주량이 크게 감소하며 석탄 규제와 중국의 경제성장속도 둔화 등 수요측 요인이 우호적이지 않았음에도 완만하나마 개선흐름이 나타났다. 다만, 2019년은 브라질 댐붕괴사고의 영향으로, 2020년에는 코로나19의 영향으로 운임이 하락하여 중장기적 시황개선 흐름이 일시적으로 중단되었다.

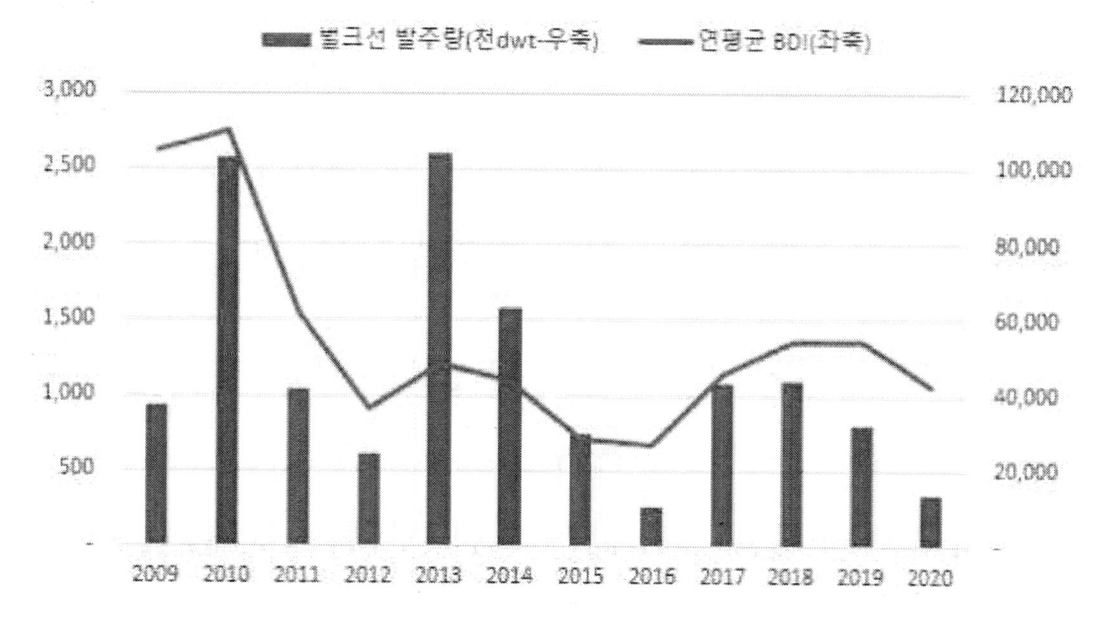


[그림 18] 2020년 기준 연평균 BDI 및 벌크선 발주량 추이

2021년에는 예상치 못한 코로나19로 흐름이 이탈된 벌크선 시황의 개선 추세가 회복되는 양상이 나타날 것으로 예상된다. 특히 전년도 시황 하락에 따른 기저효과로 운임지수 상승이 예상된다. 다만, 수요와 공급측 모두 불안 요인이 있어 시황상승 속도가 빠르지 못할 전망이다.

2021년도 벌크선 인도 예정물량은 연초 선복량의 약 4% 수준으로 비교적 많은 물량이다. 또한, 연료가격도 높은 수준까지 상승하지 못할 것으로 예상되고 현존선에너지효율지수(EEXI)등 주요 환경규제 시행(2023년 예상)을 앞두고 노후선 활동이 아직까지 가능한 시기이므로 대규모 폐선 기대는 어려워, 약 3% 내외의 비교적 높은 선복량 증가율을 예상하고 있다.

2020년말 중국 정부의 2021년 철강 감산과 철광석 수입 감소 등의 언급은 해운 수요에 부정적 요인이 될 가능성이 있다. 이러한 요인들로 인하여 2021년 벌크선 시황의 개선 속도는 완만할 전망이다. 2022년 이후는 연료가격의 상승, 환경규제 효과 등으로 노후선 폐선이 본격화되는 등 공급 둔화로 시황 개선 속도가 빨라질 것으로 전망된다.

2021년도 1분기 기준 벌크선 시황은 2021년 중 세계 경제회복이 빠르게 진행됨에 따라 양호한 수요가 기대된다. 백신 접종자 수가 지속적으로 증가하는 등 코로나19 영향에서 벗어나고 해운수요 증가도 견조할 것으로 예상되어 2019년 댐붕괴사고, 2020년 코로나19 등으로 멈추었던 벌크선 시황 개선추세는 다시 이어질 것으로 기대된다.

다만, 아직까지 코로나19 확산에 따른 각국의 봉쇄 재개, 중국의 철강재 생산제한 영향, 비교적 많은 신조선 인도량 등 불확실 요인이 남아 있다.

### 나) 탱커

2021년 세계 석유 수요는 전년도 코로나19 팬데믹의 영향에 대한 기저효과로 증가할 것으로 예상되나 큰 폭의 증가를 기대하기는 어렵다. 세계 경제가 2019년 수준으로 회복되기도 어려울 것으로 예상되며 주요국의 코로나19 집단면역도 2021년 말에야 가능할 것으로 예상되는 등 전반적인 경제 활성화와 이동 자유 등에 의한 석유 수요 개선 기대감은 아직 낮은 수준이다. 이에 따라 산업수요는 정상화를 기대할 수 있을 것이나 항공 등 교통수요의 정상화는 어려울 것으로 예상되어 석유수요 증가는 제한적일 전망이다.

탱커 시장의 또 하나의 변수는 저장용 탱커로, 2020년 연말 수요는 상반기 대비 크게 감소하였으나 아직까지 많은 수준을 유지하고 있다. 2020년말 기준, 저장 수요에 동원된 유조선은 101척 2,470만dwt로 연중 최고치였던 5월 초에 비하여 48.0% 감소한 수준이나 코로나19 이전인 2019년말 대비 57.5% 많은 수준으로 전체 유조선 선복량의 약 6%에 해당한다. 이후 2021년 1분기말 저장용 수요로 활용되고 있는 55Kdwt 이상급 유조선은 총 77척 1,933만dwt로 전분기말 대비 21.2% 감소했다. 동 시점 기준 제품운반선의 경우도 79척 419만dwt로 5월 초 대비 73.0% 감소한 수준이나 2019년말 대비 912% 많은 즉, 10배 수준에 이르고 있으며 전체 선복량의 2.5%에 해당한다. 이후 2021년 1분기 말 10Kdwt 이상급 제품운반선 역시 동기간 15.6% 감소하여 72척 363만dwt 수준을 보였다.

이처럼 아직까지 많은 선박이 저장용으로 사용되고 있는 점은 해운 시장에 두 가지의 부정적 의미를 내포한다. 먼저, 아직까지 해상에 많은 원유나 제품을 저장할 만큼 재고가 많다는 점이며 이는 세계 석유소비 증가에도 불구하고 재고 우선 소진을 통하여 해상운송 수요를 둔화시킬 요인으로 작용할 수 있다는 것이다. 다음으로 이들 선박이 재고 소진으로 해운시장에 복귀시 공급증가로 인하여 시황개선의 걸림돌이 될 수 있다는 것이다.

이처럼 석유의 교통수요 정상화가 어렵다는 점과 다량의 석유 재고 및 저장용 선박수요 현황 등을 감안하면 2021년 시황 개선이 쉽지 않을 것으로 전망된다. 다만, 탱커 시황이 낮은 수준에서 유지될 경우 노후선들의 조기폐선 증가 가능성이 있어 시황 개선에 대한 변수가 될 수 있다. 2021년에 들어 저장용 수요가 감소하는 추세이기는 하나 아직까지 유조선 선복량의 4.5%, 제품선 선복량의 2.1%에 해당하는 물량으로, 이들 선복이 해운시장으로 빠르게 복귀할 경우 시황 회복에 부담이 될 수 있다.

2021년 1분기 중 시황이 매우 저조한 수준임에도 불구하고 폐선량은 지난 3년간 분기 평균 폐선량에서 크게 벗어나지 못하고 있다. 금년 내 폐선은 시황 침체 지속으로 증가할 것으로 기대되나 주요 환경규제 시행 시기까지 아직 1~2년의 여유가 있어 금년 내 노후선 대량 폐선을 통한 선복량 공급 조절로 시황을 반전시키기는 다소 어려울 전망이다. 다만 폐선 선박의 평균 선령은 20년으로 낮아지고 있으며, 이에 따라 지난해 집중 수입하여 증가한 재고가 소진되고 세계 석유수요가 점차 증가하여 선복공급을 감당할 수 있는 시점에서 탱커시황의 반등이 기대된다. 현재 침체 수준이 유조선보다 덜한 제품운반선의 경우 세계 경기회복과 코로나19 백신접종 등에 따른 석유의 교통수요 증가 등이 뒷받침된다면 하반기 이후 완만하나마 시황 반등을 기대할 수 있을 것이다. 유조선의 경우는 더욱 시간이 걸릴 것으로 예상되어 4분기 이후 또는 2022년 에나 시황 반등이 예상된다.

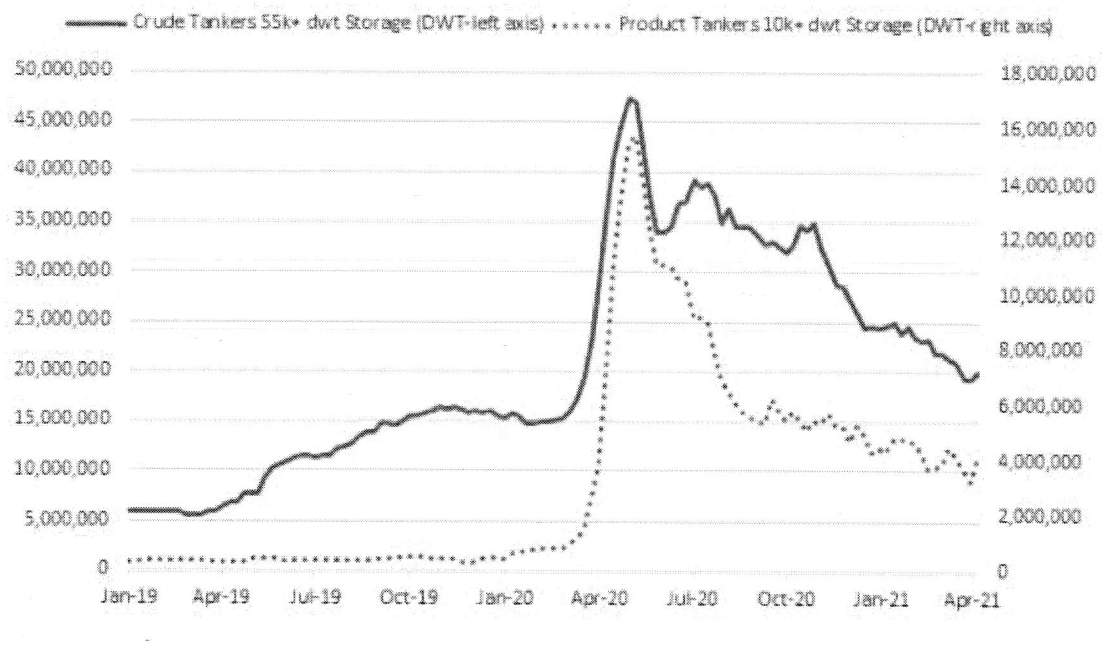

[그림 19] 탱커의 저장용도 사용 선복량 추이

### (1) 유조선

2020년도 2분기 중 저가 석유물량 운송 수요로 급등하였던 유조선 운임과 용선료는 3분기에 이어 4분기에도 하락추세를 지속하였으며 시황 침체 수준을 보였다. 2020년 기준 나이지리아 Bonny Off - 인도 Jamnagar 간 260K VLCC 4분기 평균 운임은 262만달러로 전년 동기대비 64.3% 낮은 수준을 기록했다. 네덜란드 로테르담 - 싱가포르 간 275K VLCC 4분기 평균 운임은 전년 동기대비 64.9% 낮은 351만 달러였다. 미국 휴스턴 - 싱가포르 간 150K 수에즈막스 4분기 평균 운임은 217만달러로 전년동기 대비 66.4% 낮은 수준을 기록했다.

이후 2021년도 1분기 기준 유조선 운임은 2020년도 2분기 유가 급락으로 인한 저가물량 확보로 운송이 집중된 후, 3분기부터 하락하는 추세에서 여전히 벗어나지 못하고 있다. 2021년 1분기 기준 나이지리아 Bonny Off - 인도 Jamnagar 간 260K VLCC 1분기 평균 운임은 전년 동기대비 61.4% 낮은 262만달러를 기록하였으며, 코로나19 영향에 의한 급등락이 배제된 2019년 1분기 대비로도 30.4% 낮은 수준을 기록했다. 미동부 걸프지역 - 중국 닝보 간 270K VLCC 운임 역시 1분기 평균 전년 동기 대비 60.3% 낮은 438만달러로, 2019년 1분기와 비교하여도 31.7% 낮은 수준이었고, 미국 휴스턴 - 싱가포르 간 150K 수에즈막스의 경우도 1분기 평균 전년 동기대비 56.5% 낮은 264만달러로, 2019년 1분기 대비 29.6% 낮은 수준을 기록했다.

**① 310Kdwt급 VLCC**

310Kdwt급 VLCC의 2020년 4분기 1년 정기용선료 평균은 전분기 대비 28.4% 하락한 1일당 24,964달러를 기록했다. 다만, 월평균치 기준으로 2020년 11월에 1일당 23,750달러로 7개월 연속 하락한 후 12월 평균 25,000달러로 소폭 반등했다. 2021년도 1분기 1년 정기용선료의 평균은 전분기 대비 5.7% 낮은 1일당 23,529달러를 기록했다. 월평균치 기준으로 1분기 중 하락추세를 지속하여 3월 평균 1일당 22,750달러를 기록하였으며 전분기말인 전년 12월 평균 대비 9.0% 하락했다.

**② 150Kdwt급 수에즈막스**

150Kdwt급 수에즈막스의 2020년도 4분기 1년 정기용선료 평균은 1일당 18.231달러로 전분기 대비 22.2% 하락했다. 동 선형의 월평균 용선료의 반등은 없었으며 12월 평균 16,875달러로 8개월 연속 하락했다. 2021년도 1분기 1년 정기용선료 평균은 1일당 16,490달러로 전분기 대비 9.5% 낮은 수준을 기록했다. 3월 월평균 용선료는 1일당 16,500달러로 전년 12월 평균 대비 2.2% 하락했다.

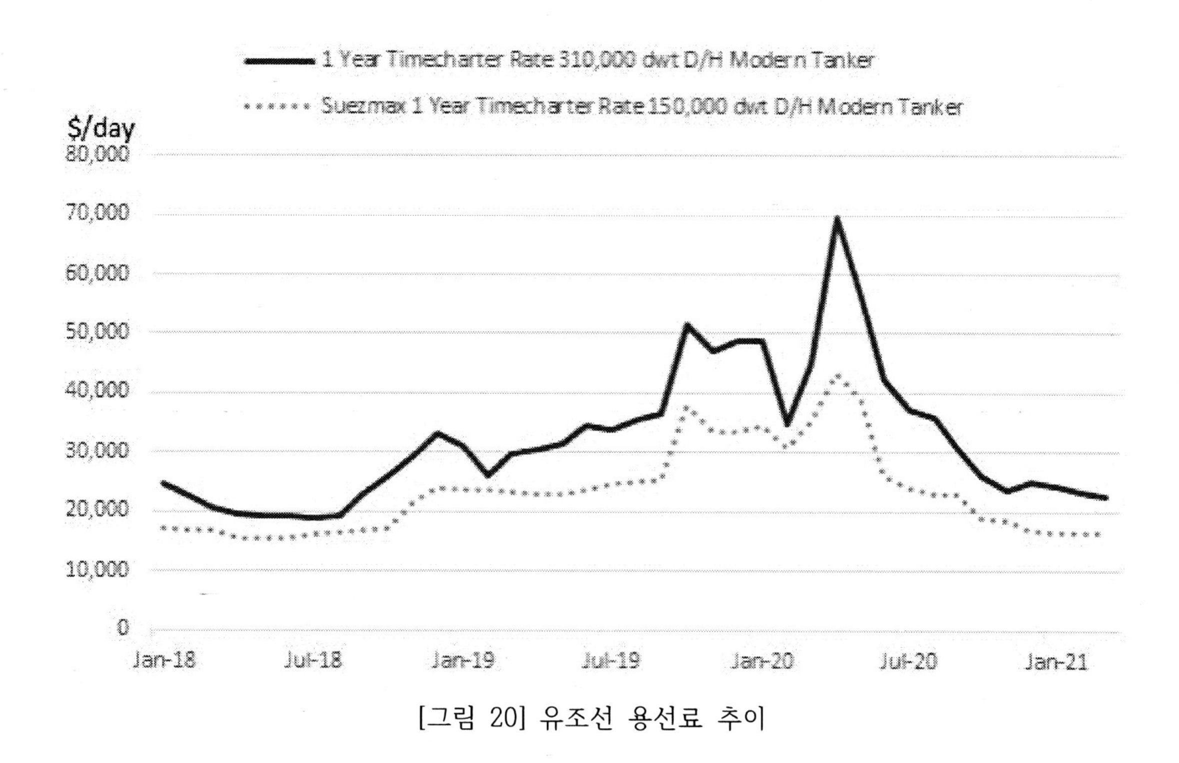


[그림 20] 유조선 용선료 추이

### (2) 제품운반선

2020년 제품운반선의 1년 정기용선료 월평균치는 연중 최고치를 기록한 5월 대비 115K급 47.7%, 74K급 40.2%, 47~48K급 31.3%, 37K급 27.9% 각각 하락하여 매우 빠른 하락 속도를 보였다. 제품운반선은 2020년 3분기 이후 지속적으로 하락과 침체 수준에서 벗어나지 못하는 흐름을 나타냈는데, 제품운반선의 경우 일부 선형의 용선료 수준이 1분기 중 반등하는 등 유조선에 비하여 시황 반등이 가까워진 것으로 판단된다.

쿠웨이트 Mina al-Ahmad - 네델란드 로테르담 간 90K급 Aframax clean 탱커의 2020년 4분기 평균 운임은 전년 동기대비 40.6% 낮은 168만달러를 기록했으며, 2021년도 1분기 평균 운임은 전년 동기대비 41.2% 낮은 157만달러를 기록하였다. 울산 - 싱가포르 간 40K급 MR 탱커의 2020년 4분기 평균 운임 역시 전년 동기대비 42.7% 낮은 31만달러였으며 2021년도  1분기 평균 전년 동기대비 39.3% 낮은 33만달러를 기록하였다. 울산 - 미국 LA 간 40K급 MR 탱커의 4분기 평균 운임은 전년 동기대비 39.6% 낮은 83만달러를 기록했고, 2021년도 1분기 평균 운임은 90만달러로 전년 동기대비 36.5% 낮은 수준을 기록했다.

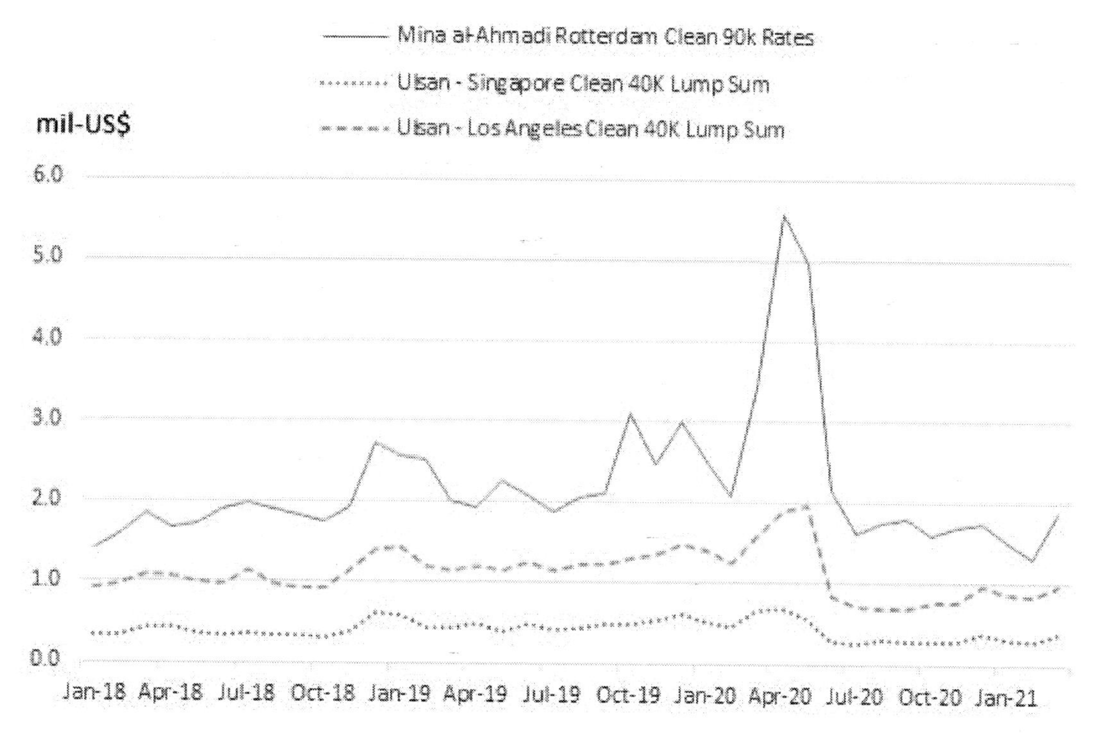


[그림 21] 제품운반선 운임 추이

제품운반선 운임 역시 중국 탱커선사 제재 효과가 배제된 2018년 4분기와 비교하여도 구간별로 20~28% 낮은 수치를 기록하고 있어 2020년 2분기까지 고운임에 이은 침체가 다소 심각한 수준임을 알 수 있다.

① 115Kdwt급 LR2탱커

115Kdwt급 LR2탱커의 2020년 4분기 1년 정기용선료 평균은 1일당 17,731달러로 전분기 대비 14.2% 하락했다. 2021년도 1분기 평균은 전분기 대비 7.0% 낮은 1일당 16,481달러를 기록했다. 월평균치 기준으로 2020년 1분기에도 하락추세가 나타나 3월 평균 1일당 16,625달러로 전분기 말인 전년 12월 평균 대비 0.7% 하락한 수준이나 3월에는 전월대비 3.9% 반등하기도 했다.

② 74Kdwt급 LR1탱커

74Kdwt급 LR1탱커의 2020년 4분기 1년 정기용선료 평균은 1일당 13,933달러로 전분기 대비 6.8% 하락했다. 2021년도 1분기 평균은 전분기 대비 4.7% 낮은 1일당 13,279달러를 기록했다. 월평균치 기준으로 3월 평균 1일당 13,188달러로 전분기 말인 전년 12월 평균 대비 3.7% 하락한 수준이나 3월에는 전월대비 3.4% 반등했다.

③ 47~48Kdwt급 MR탱커

47~48Kdwt급 MR탱커의 2020년 4분기 1년 정기용선료 평균은 1일당 12,394달러로 전분기 대비 8.3% 하락했다. 2021년도 1분기 평균은 전분기 대비 0.6% 낮은 1일당 12,317달러를 기록했다. 그러나 월평균치 기준으로는 1분기 중 상승흐름이 나타나며 3월 평균 1일당 12,375달러로 전년 12월 평균 대비 6.5% 상승한 수준을 기록했다.

④ 37Kdwt급 MR탱커

37Kdwt급 MR탱커의 2020년 4분기 1년 정기용선료 평균은 1일당 11,192달러로 전분기 대비 9.2% 하락했다. 2021년도 1분기 평균은 전분기 대비 1.7% 낮은 1일당 11,000 달러를 기록했다. 그러나 월평균치 기준으로는 전분기말 11,000달러를 분기 내 그대로 유지했다.

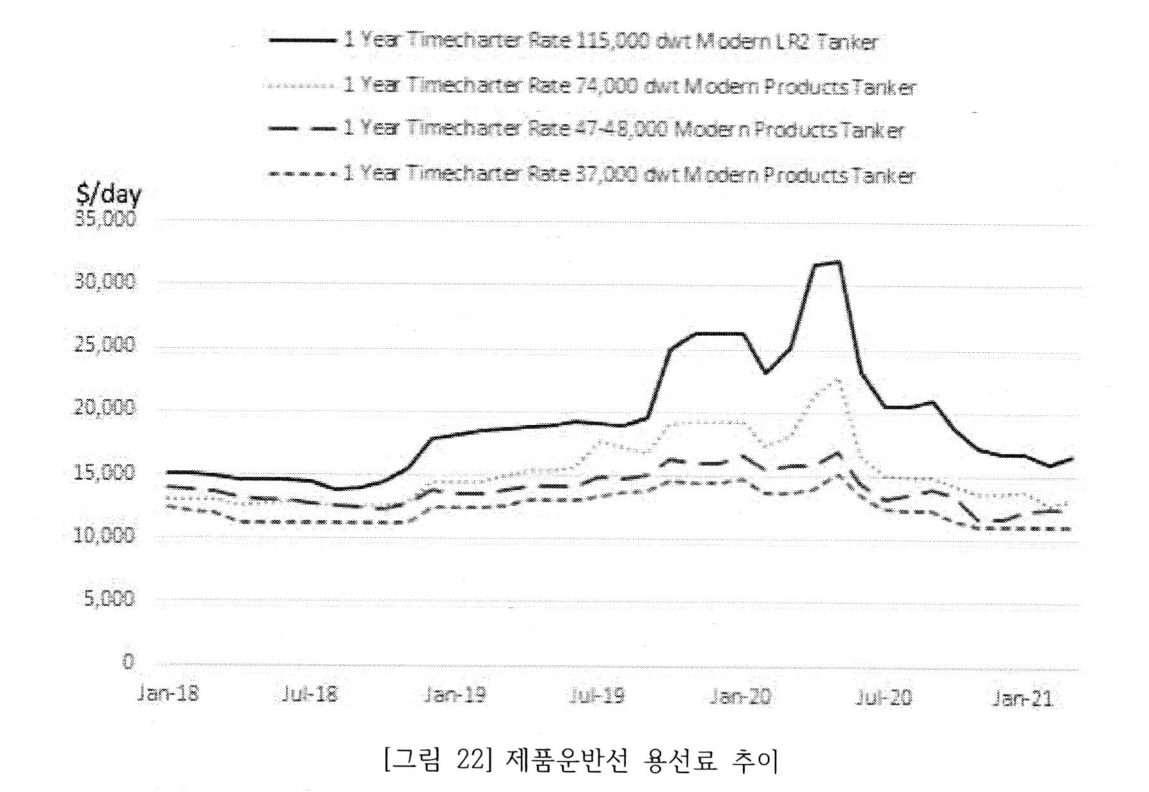


[그림 22] 제품운반선 용선료 추이

### 다) 컨테이너선

2020년 컨테이너선 시황은 하반기 이후 빠른 운임상승을 보였으며 특히, 4분기 중 운임 상승은 호황기 수준 이상 수준까지 매우 빠르게 상승했다. 상반기 중 코로나19 팬데믹 상황의 수요 감소 속에서도 운항 감축을 통한 선복량 조절로 운임 하락을 방어하며 전년 동기대비 높은 운임수준을 유지한 해운업계는 하반기 수요 증가에 매우 높은 수준의 운임 인상을 실현했다.

3분기 이후 미국의 경제부양 정책으로 인한 소비 증가, 코로나19 특수, 수요감소를 우려한 도매업의 낮은 재고의 소진으로 인한 수입 폭증 등의 요인들이 겹치며 3분기 이후 미국향 수요가 크게 증가한 것으로 추정된다.

미국 노선의 선복 부족과 고수익으로 타 노선의 선박들이 미국 노선으로 이동하였고, 이후 유럽, 아시아 등의 수요도 상반기 위축에서 벗어나 증가하면서 전 지역의 운임이 연쇄적으로 상승했다. 2020년 평균 CCFI는 984.42로 전년대비 19.5% 상승했다. 2020년 4분기 평균 CCFI는 1,250.41로 전년 동기대비 52.6% 높은 수준을 기록하였으며 연말 CCFI는 1,577.20까지 상승하여 지수 발표 이후 사상 최고치를 기록했다.

이후 2021년 1분기 컨테이너선 해운시장은 전년도 4분기 이후 미국을 중심으로 재고부족과 경기부양 효과에 따른 수입물량 증가, 여기에 컨테이너박스 물류의 차질과 항만 비효율성으로 선박의 공급부족 효과까지 일으키며 높은 운임 수준이 지속되고 있다.

이러한 미국 노선의 운임 급등은 다른 노선에도 연쇄적인 상승효과를 일으켜, 코로나19로부터의 회복으로 수요가 증가한 유럽 등 타 원양노선의 운임도 크게 상승하였고 일부 아시아 역내노선 등의 운임도 1분기 중 높게 유지되었다. 1분기 평균 CCFI 지수는 전년 동기대비 113.3% 높은 1,961로, 지수발표 이후 분기 평균치로 최고치를 기록했다. 다만, 2월 하순 이후 다소 하락하여 3월말까지 최고점 대비 10.0% 하락한 1,863.6을 기록했다.

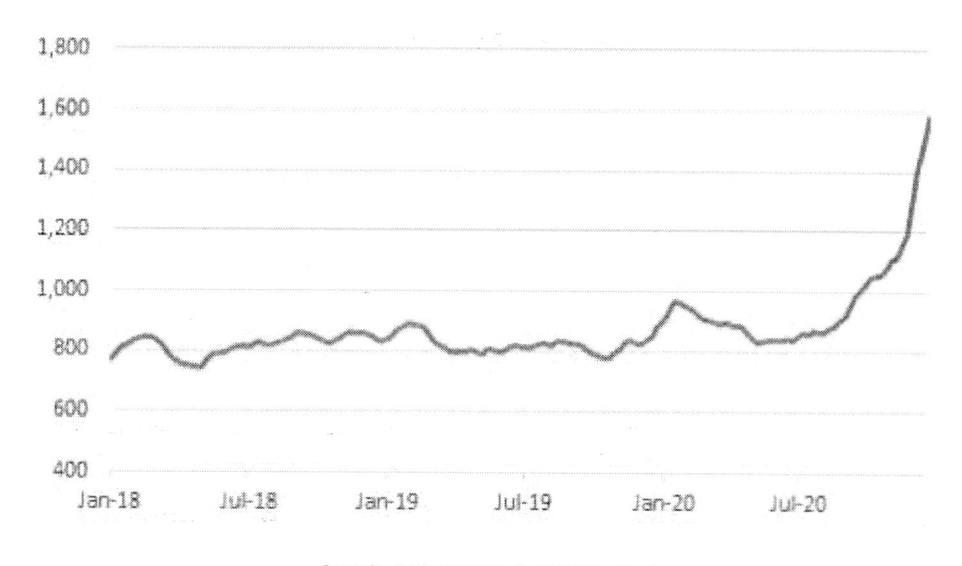


[그림 23] 2020년 CCFI 추이

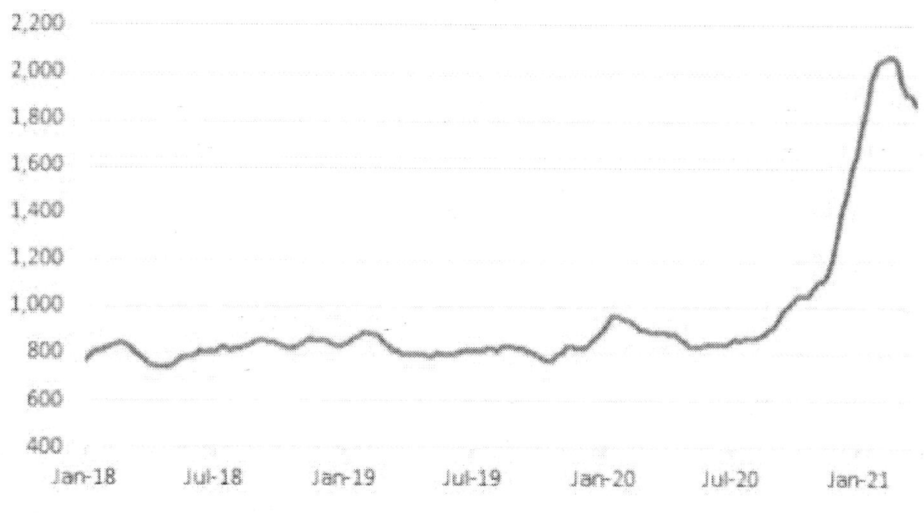


[그림 24] 2021년 1분기 CCFI 추이

**① 상하이-유럽 노선**

2020년 상하이-유럽노선의 평균운임(SCFI 기준)은 TEU당 1,204.1달러로 전년대비 58.5% 상승했다. 동 노선의 운임은 4분기에 집중적으로 상승하여 4분기 평균 TEU당 2,099.7달러를 기록하며 전년 동기대비 179.0% 높은 수준을 나타내었으며 전분기 대비 113.8% 상승했다. 미서안 노선의 운임이 2020년 3분기부터 급상승한데 비하여 유럽노선 운임은 다소 늦은 9월 이후 급상승하기 시작하였으며 연말 3,797달러/TEU 까지 상승했다. 2021년도 1분기 평균운임(SCFI 기준)은 전년 동기대비 358.8% 상승한 TEU당 4,115.1달러를 기록했다. 다만, 동 노선의 운임은 1월 첫주 TEU당 4,452달러로 최고치를 기록 후 1분기 중 계속 하락하여 3월 마지막주 운임은 최고치 대비 15.9% 하락한 3,742달러를 기록했다.

**② 상하이-미서안 노선**

2020년 상하이-미서안 노선의 평균운임은 FEU당 2,744.8달러로 전년대비 79.9% 상승했다. 동 노선의 3분기 평균운임은 전분기 대비 719% 상승한데 이어 4분기에도 전분기 대비 16.1% 추가 상승하며 4분기 평균 FEU당 3,911.3달러를 기록하였으며, 이는 전년 동기 대비 179.3% 높은 수준으로 연말 4,080달러/FEU 까지 상승했다. 미서안 노선 운임은 하반기 들어서며 가장 빠른 운임상승률을 기록하여 하반기 글로벌 컨테이너선 운임 상승을 주도한 것으로 평가된다. 2021년도 1분기 평균 운임은 전년 동기대비 167.9% 상승하여 FEU당 4,019.8달러를 기록했다.

**③ 상하이-미동안 노선**

2020년 상하이-미동안 노선의 평균운임은 전년대비 37.1% 상승한 FEU당 4,775.0 달러였다. 동 노선 역시 3분기 평균운임이 전분기 대비 40.3% 상승한 후 4분기에도 전분기 대비 19.0% 추가 상승하며 4분기 평균 FEU당 4,709.3달러를 기록하여 높은 상승률을 나타냈으나 미서안 노선에 비해 상승폭은 다소 작은 수준이었다. 2021년도 1분기 평균 운임은 전년 동기대비 70.5% 상승한 FEU당 4,785.1달러를 기록했다.

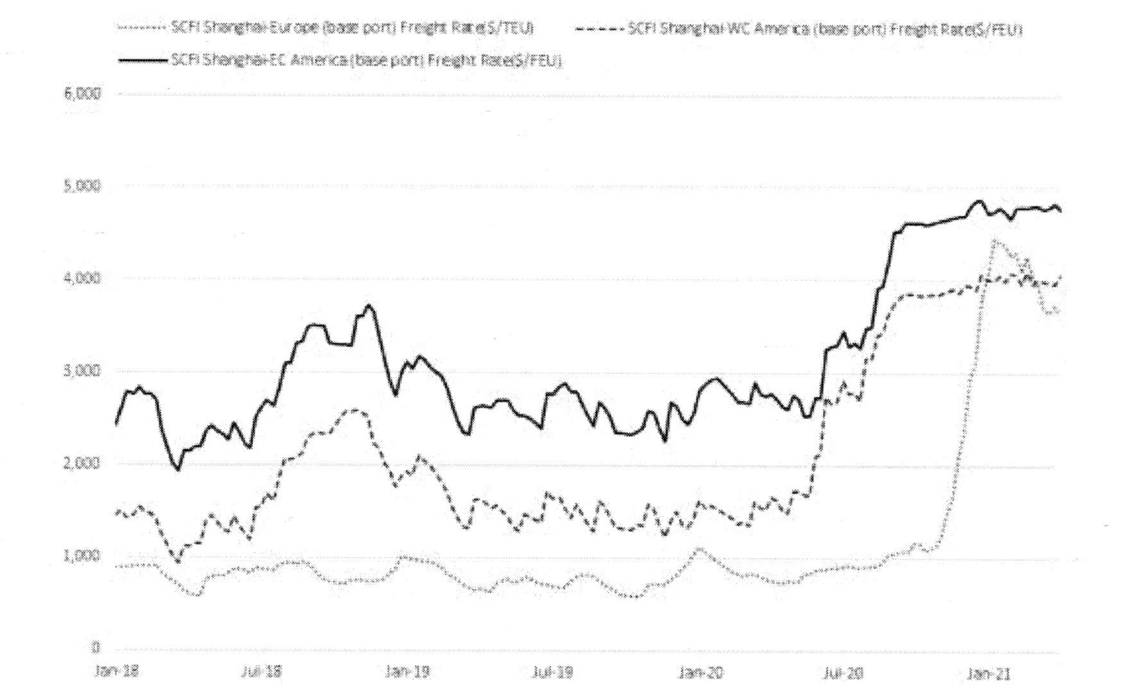

[그림 25] 주요 원양노선 SCFI 추이

**④ 상하이-동일본 노선**

2020년 상하이-동일본 노선의 평균운임은 전년대비 3.5% 상승한 TEU당 241.4달러를 기록하여 비교적 양호한 수준을 기록했다. 동 노선의 2020년 4분기 평균운임은 전년 동기대비 4.0% 높은 TEU당 247.5달러를 기록했다. 일본 노선은 원양 노선의 급등 영향에도 소폭 개선에 그쳤다. 상하이-동일본 노선은 수년간 완만한 상승흐름을 지속했는데, 2021년 1분기 중에도 이를 유지하여 2021년도 1분기 평균운임은 전년 동기대비 7.8% 상승한 TEU당 257.9달러를 기록했다.

**⑤ 상하이-부산 노선**

2020년 상하이-부산 노선의 평균운임은 전년대비 3.9% 높은 TEU당 133.3달러를 기록했다. 동 노선의 2020년 4분기 평균운임은 전년 동기대비 38.1% 상승한 TEU당 172.5달러였다. 동 노선은 경쟁 심화로 상당기간 부진한 흐름을 보였으나 동남아 노선 등의 운임 상승으로 선복이 재배치되며 4분기에 비교적 큰 폭의 상승이 나타났다. 선사간 경쟁강도의 증가 등으로 저조한 흐름을 보였던 동 노선 역시 컨테이너선 시황의 전반적인 호조로 1분기 중 운임이 51.0% 상승하였고 1분기 평균운임은 전년 동기대비 130.6% 상승한 TEU당 272.9달러를 기록했다.

**⑥ 상하이-동남아 노선**

2020년 상하이-동남아 노선의 평균 운임은 4분기에 급등하여 전년대비 101.1% 상승한 TEU당 277.8달러를 기록했다. 동 노선의 4분기 평균운임은 전년 동기대비 308.8% 상승한 TEU당 601.0달러를 기록했다. 과거 수년간 동남아 경제가 활성화되며 원양에서 밀려난 중형급 선박들까지 경쟁에 가세하여 운임이 부진한 수준에 머물렀으나, 북미 노선의 운임 급등으로 중형선 등이 대거 원양노선으로 이동하면서 4분기 들어 운임이 6배까지 치솟는 현상이 나타났다.

상하이-동남아 노선 운임은 2월 3주차에 TEU당 1,017달러로 정점을 지난 후, 3월말까지 12.1%, 883달러까지 하락하였으나 여전히 매우 높은 수준으로 1분기 평균운임은 전년 동기대비 406.4% 높은 974.7달러를 기록했다.

원양 노선의 수요증가로 수익성이 제고되었던 3분기에도 아시아 근해노선에서는 큰 영향이 나타나지 않았으나 원양 노선의 활황이 지속되며 4분기 들어 근해 노선의 운임도 급상승하는 연쇄효과가 본격화되고 있다.

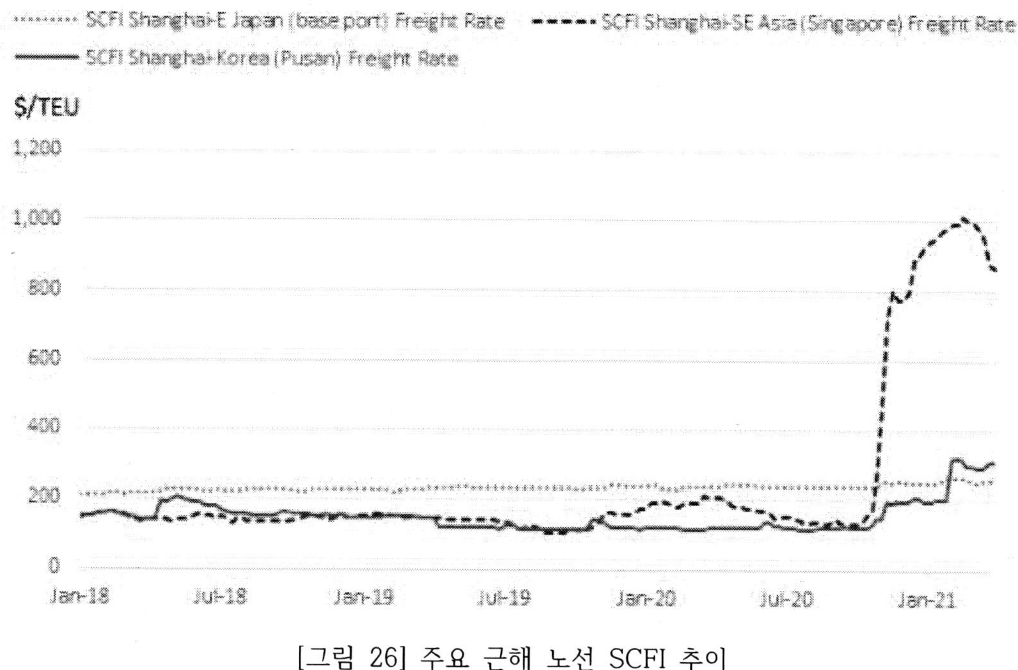


[그림 26] 주요 근해 노선 SCFI 추이

2020년 3분기 이후 나타난 컨테이너 운임의 급등은 코로나19 팬데믹 상황에 의해 재고물량의 비축을 위한 수출입이 상, 하반기 불균형하게 이루어졌고 일부 팬데믹 특수 등의 일시적 요인에 의한 것으로 판단된다. 그러나 코로나19 사태 초기의 부진에 선복 조절을 통한 성공적 대응으로 시황 하락을 방어한 컨테이너선 업계는 이러한 시기에도 적절한 대응을 통하여 2021년도 시황을 비교적 안정적으로 유지할 전망이다. 최근의 일부 노선의 선복 부족에도 불구하고 아직까지 컨테이너선 해운 시장의 선복량 과잉 상황은 지속되고 있으며, 향후 환경규제에 강화에 의한 중대형선 폐선 정도가 시황의 또 다른 변수가 될 전망이다.

세계 경제 전망에서 2021년도 교역성장률이 9%를 상회하는 점을 고려하면 컨테이너선 해운 수요 증가율은 2021년 내 최소한 7% 내외의 수준으로 예상된다. 또한, 미국항의 체선문제 등이 단 시간내에 해소되기는 어려울 것으로 전망하는 견해가 지배적이므로 선복공급의 문제로 인하여 최소한 상반기까지는 현재의 고운임 수준이 유지될 것으로 예상된다. 항만 효율성 개선 시점에서 운임은 하락할 가능성이 높으나 2021년 중 높은 수준의 컨테이너 해운수요의 증가율이 선복량 증가율 (약 3~4% 예상)을 크게 상회할 것으로 예상되어 비교적 높은 수준의 운임은 유지될 전망이다.

### 라) LNG선

2020년 초 코로나19 팬데기의 영향으로 중국 등 주요 산업국의 산업활동이 감소하며 LNG수요가 감소하는 등 전반적인 수요 부진으로 전년대비 연평균 스팟 운임은 하락했다. 2020년도 1분기 LNG선 평균 스팟운임은 전년 동기대비 높은 수준이나 이는 1월 동북아의 극심한 추위에 기인한 것으로 전년 대비 시황 개선 여부를 판단하기 어렵다.

난방수요가 종료된 2020년 1분기 중 스팟운임의 하락은 전형적인 양상이나, 2021년 1분기의 운임하락폭은 이전에 비하여 과도한 수준으로, 1분기말 기준 스팟운임은 코로나19로 시장상황이 악화되었던 전년 동일 시점 운임보다 낮은 수준이다. LNG선의 용선료는 1분기 들어 전분기 대비 상승하였으나 2020년 과도하게 하락한 용선료 수준에 비하여 상승폭은 작은 수준이었다.

2020년 코로나19의 영향으로 중국을 비롯한 각국의 산업생산 가동률이 저하되며 LNG소비가 감소하여 아시아 현물가격이 mmBTU당 2달러대까지 하락하는 과도한 가격 하락이 있었다. LNG가격 급락은 세계 LNG개발업계에 충격을 가하여 일부 개발 프로젝트의 FID(최종투자결정)가 취소 또는 연기되는 등 LNG 업계의 분위기가 비관적으로 바뀌었다. 이러한 비관적 분위기가 선박 용선에도 영향을 미치며 2020년 내 용선료의 하락이 지속되었고 2020년 4분기까지 선형별로 40~45%4) 하락하였으며 심지어 스팟운임이 급등한 4분기에도 용선료의 하향 추세는 멈추지 않았다. 2021년 1분기 용선료는 소폭 상승하였으나 아직까지 전년 동기대비 20%내외 낮은 수준에 불과하다.

**① 160KCum급 LNG선**

160KCum급 LNG선의 2021년도 1분기 평균 스팟 운임은 1일당 84,423달러로 전년 동기대비 48.3% 높은 수준이었다. 1분기 스팟운임은 1월 동북아의 극심한 추위 영향에 따른 LNG 수입급증으로 1월 첫주 1일당 195,000달러의 최고점을 지난 후 지속적으로 하락하여 3월 말 최고점 대비 80.3% 하락한 38,500달러를 기록하였으며 이는 전년 동일 시점 대비 14.4% 낮은 수준이었다.

**② 145KCum급 LNG선**

145KCum급 LNG선의 2021년도 1분기 평균 스팟 운임은 1일당 59,962달러로 전년 동기대비 50.2% 높은 수준을 기록했다. 1분기 중 1월 첫주 1일당 160,000달러의 최고점을 지난 후 하락하여 3월 말 최고점 대비 82.8% 하락한 27,500달러를 기록, 전년 동일 시점 대비 12.7% 낮은 수준을 보였다.

**③ 174KCum급 LNG선**

174KCum급 LNG선의 2021년도 1분기 평균 스팟 운임은 전년 동기대비 44.6% 높은 1일당 101,500달러를 기록했다. 2021년도 1분기 중 1월 첫주 1일당 215,000달러의 최고점을 지난 후 하락하여 3월 말 최고점 대비 77.9% 하락한 47,500달러를 기록, 전년 동일 시점 대비 11.2% 낮은 수준을 보였다.

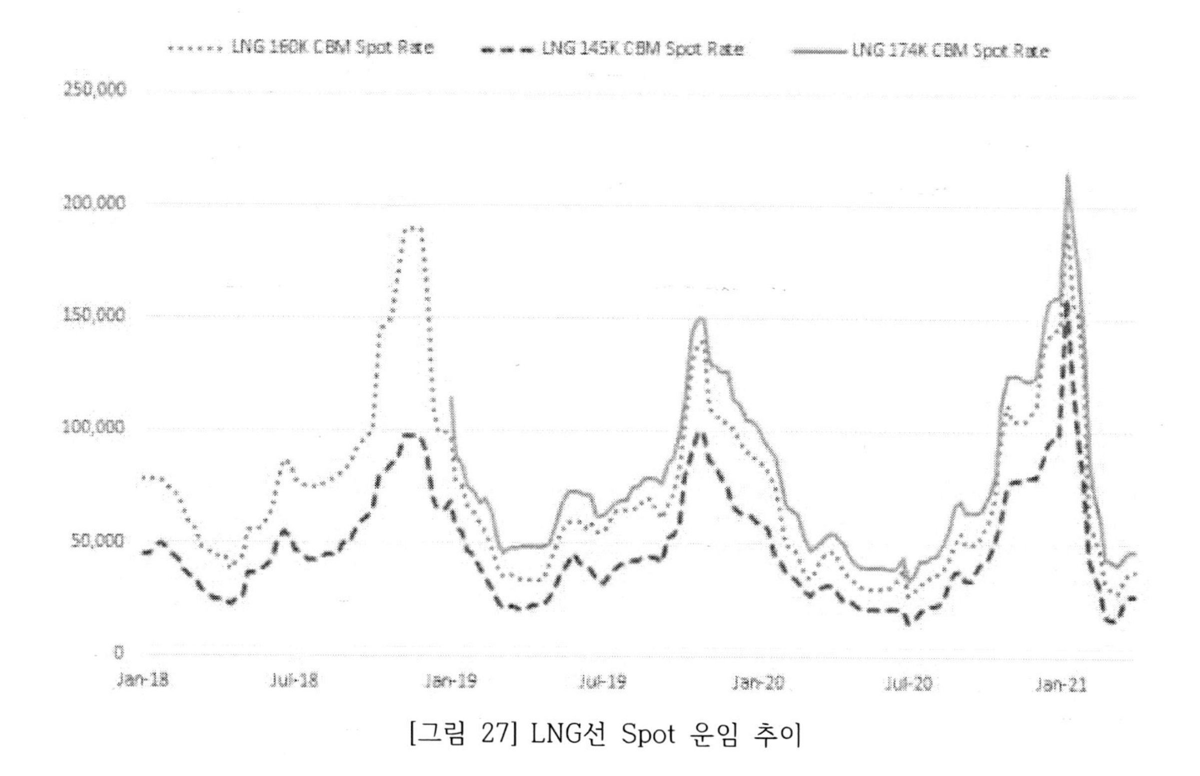


[그림 27] LNG선 Spot 운임 추이

174KCum급과 160KCum급 LNG선의 1년 정기용선료의 1분기 평균치는 전분기대비 8.0%와 15.8% 상승한 1일당 63,583달러와 52,800달러 수준을 각각 나타냈다. 이는 전년도 1분기 대비 23.0%와 21.4% 각각 낮은 수준이다. 향후 LNG해운시황은 2018년 이후 대량 발주된 선복의 인도가 부담이 될 수 있으나 시황의 움직임은 2021년도 LNG 수요증가, FID 규모 등 LNG 시장의 움직임이 더 큰 변수가 될 것으로 전망된다.

### 마) LPG선

2020년 초 상승추세로 출발한 LPG해운시황은 코로나19 사태로 LPG의 교통 수요가 감소하고 낮은 나프타 가격으로 석유화학 수요도 감소하며 상반기동안 급격한 하락 추세를 보인 바 있다. 타 해운시황과 동일하게 3분기 이후 회복추세를 보였고 4분기에는 빠른 운임 상승이 나타났다.

전년도 4분기의 상승 탄력에 일부 항만과 파나마운하의 체선까지 겹치며 공급 부족 효과가 발생하여 1월 첫주, 2014년 이후 가장 높은 운임수준까지 상승했다. 그러나 1분기 중 미국의 극심한 추위로 인한 LPG 생산 차질과 OPEC+의 감산 연장에 따른 가격 상승으로 수요까지 약화되며 3월 첫주까지 운임이 급락하였으며, 2주차 이후 소폭 반등하는 양상이 나타났다.

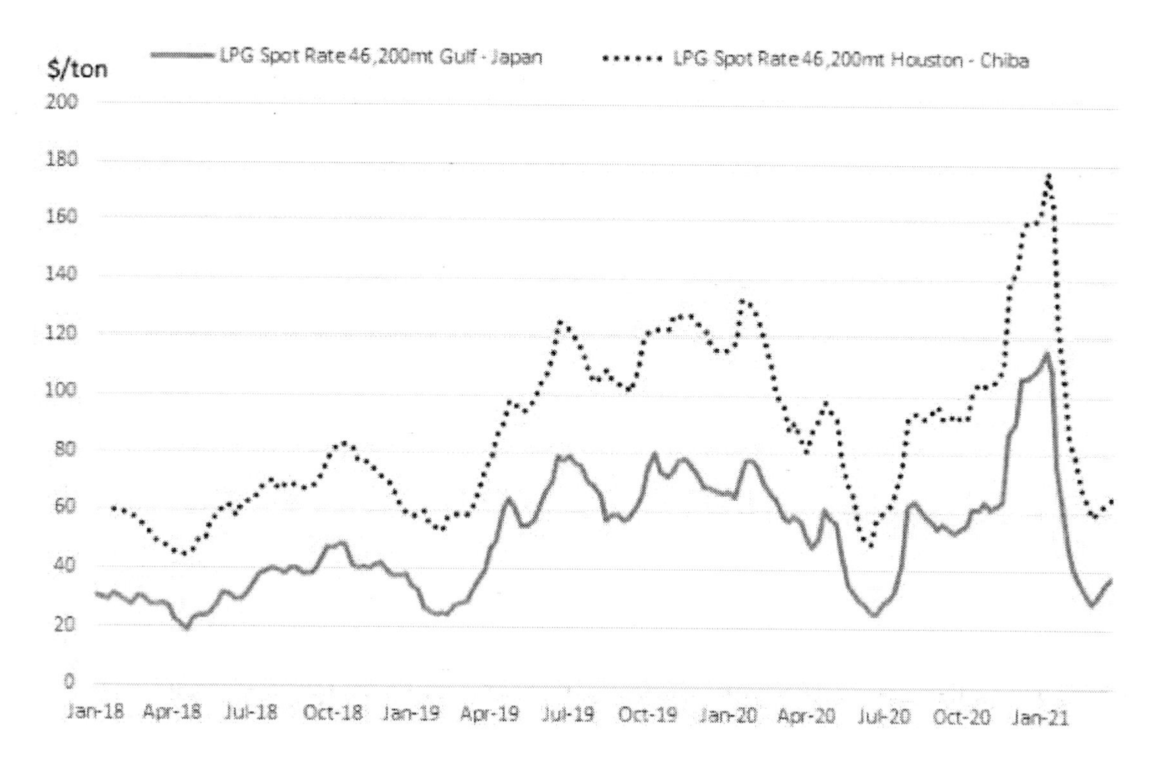


[그림 28] LPG선 Spot 운임 추이

**① 46,200mt(82.4KCuM)급 VLGC의 중동-일본 간 스팟운임**

46,200mt(82.4KCuM)급 VLGC의 중동-일본 간 스팟운임은 1분기 평균 톤당 58.4달러로 코로나19로 급락한 전년 동기보다도 12.4% 낮은 수준을 기록했다. 동 노선의 스팟운임은 1월 첫주에 전년 동기대비 78.5% 높은 톤당 116.0달러까지 상승하였으나 이후 3월 첫주까지 75.0%, 톤당 29달러까지 하락 후 반등하여 3월말 29.3% 재상승한 37.5달러를 기록했다.

**② 46,200mt(82.4KCuM)급 VLGC의 미국-일본 간 스팟운임**

46,200mt(82.4KCuM)급 VLGC의 미국-일본 간 스팟운임 역시 1분기 평균 톤당 98.5달러로 전년 동기대비 11.4% 낮은 수준을 기록했다. 동 노선 역시 1월 첫주, 전년 동기대비 50.8% 높은 톤당 178.0달러까지 상승하였으나 이후 3월 첫주까지 66.9%, 톤당 59달러까지 하락하였고 다시 반등하여 3월말까지 10.2% 재상승한 65.0달러를 기록했다.

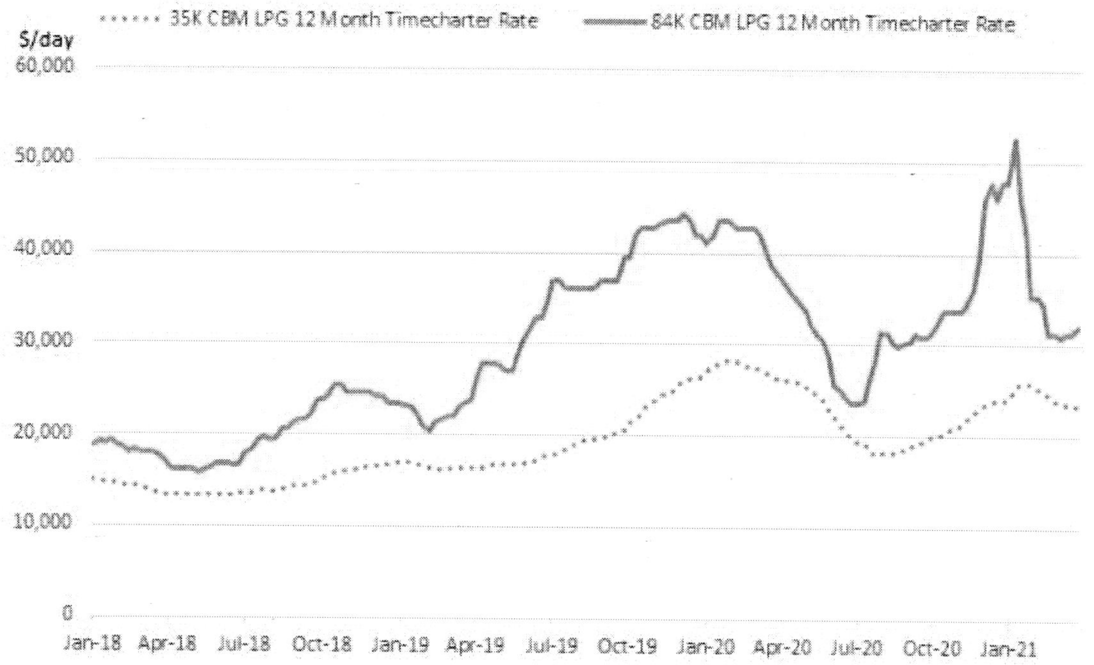


[그림 29] LPG선 정기용선료 추이

**③ 84KCuM급 VLCC**

84KCuM급 VLCC의 1년 정기용선료는 1분기 평균 1일당 37,088달러로 전분기 대비 2.9% 하락했다. 동 용선료 역시 1월 첫주에 전년 동기대비 25.5% 높은 1일당 52,604달러까지 상승하였다가 3월 첫주까지 41.3%, 30,905달러까지 하락한 후 소폭 반등했다.

**④ 35KCuM급 LPG선**

35KCuM급 LPG선의 1년 정기용선료는 1분기 평균 1일당 24,570달러로 전분기 대비 11.7% 상승한 수준이다. 동 용선료는 1월 두번째주에 전년 동기대비 7.6% 낮은 1일당 25,906달러까지 상승하였다가 3월 첫주까지 9.6%, 23,343달러까지 하락한 후 소폭 반등하여, 대형 선형에 비해 작은 변동폭을 보였다.

LPG는 금년 중 인도의 보조금제도로 인한 수요 증가, 코로나19 영향으로부터 회복 등으로 견조한 수요증가가 예상되며, OPEC+의 감산 종료, 미국의 활발한 생산 등으로 공급측도 정상화될 것으로 기대된다. 이에 따라 해운시황 역시 상승세를 보일 것으로 예상된다. 다만, 2019년 LPG선 발주량이 급증하였던 영향으로 이들 물량이 금년 중 인도되며 선복 공급 또한 증가할 것으로 전망되어 시황 상승 폭을 제한하거나 변동성이 높아질 가능성이 있다.

## 다. 국가별 조선 산업 동향

### 1) 전체 동향[8)9)]

CGT 기준으로 살펴보았을 때, 2021년 1분기 중 한국은 높은 경쟁우위를 가진 대형 컨테이너선과 대형 유조선의 발주량이 절대적 비중을 차지함에 따라 한국의 1분기 수주 점유율은 52.0%까지 확대되었다. 중국은 1분기 중 41.6%를 차지하며 전년도 40.6%와 유사한 수준을 유지하였고, 일본의 1분기 중 점유율은 3.5%로 매년 하락하고 있는 점유율 감소 추이가 지속되고 있으며 시장 내의 지위가 심각한 수준까지 축소된 것으로 판단된다. 한국과 중국의 1분기 점유율 합은 93.6%로 조선 시장내에서 양국의 비중이 크게 확대되었다.

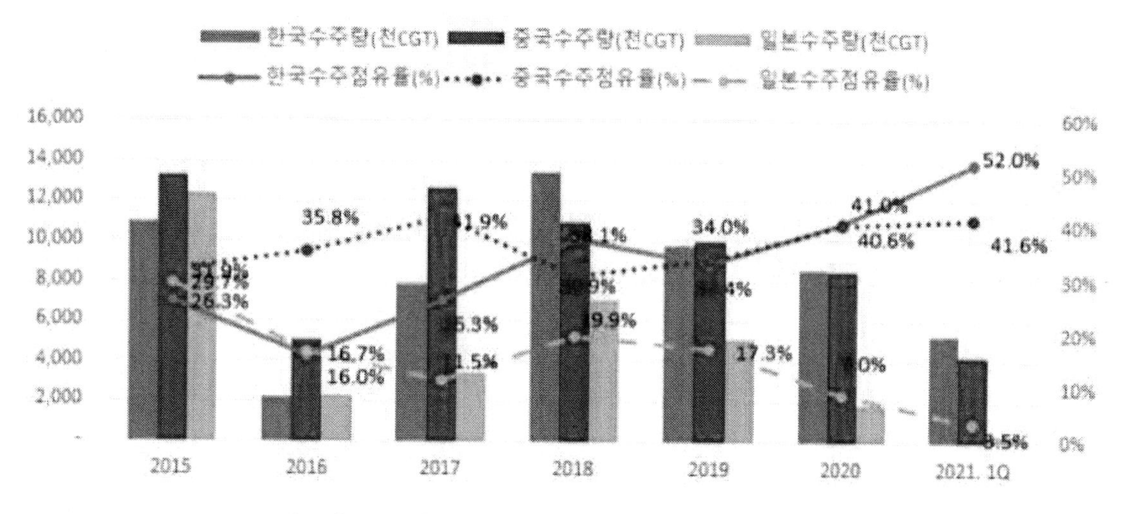


[그림 30] 한중일 3국의 수주량 및 점유율 추이

2021년도 1분기 중 예상을 뛰어 넘는 발주량 호조의 원인 중 가장 중요한 부분은 컨테이너선 시황의 호전에 따른 신규투자 증가다. 2020년 10월 컨테이너선 운임 급등에도 불구하고 선박 발주 증가에 대한 기대감은 낮은 편이었으나, 실제 대량 발주가 실행된 것은 조선업계로서는 긍정적이나 이들 물량의 중장기적 과잉 유발 가능성에 대한 우려도 있다.

컨테이너선 해운시장은 지난 10여 년간 초대형선과 소형 Feeder선으로 양극화되는 재편이 진행되고 있다. 이들 중 초대형선은 개발, 건조된 시기가 오래되지 않아 선령이 낮은 수준으로, 최근 해상환경규제의 영향에 의해 노후선 교체수요가 발생할 여지가 거의 없다.

또한, 최근의 선복 부족 사태는 코로나19 상황에 의하여 수요가 2020년 하반기 이후에 집중되며 시장 수요가 왜곡되었던 점과 미국 지역 물류의 비효율성에 기인하는 것으로 근본적인 선복의 부족은 아니었다. 이 때문에 최근의 고운임이 신조선 발주로 이어지는 물량은 많지 않을 것으로 기대하였으나 선박의 대선을 전문으로 하는 전문 선주들이 대형 선박 발주에 가세하며 분기 발주량으로서 2007년 호황기 이후 최대 물량의 대형 컨테이너선이 발주된다.

8) 2021년 조선업 산업전망, 신영증권, 2020.11.11
9) 글로벌 해운시장 전망과 시사점, BNK경제연구원, 2021.03

이러한 현상은 조선업계로서는 부족한 일감 확보와 이에 따른 선박의 가격인상 등 단기적으로 긍정적 효과를 기대할 수 있다. 그러나 미국의 물류 비효율성이 개선되고 해운수요가 둔화되는 시점에서 이들 선복이 시장에 인도되면 해운시장의 단기적 공급과잉 유발 및 대형 컨테이너선의 신규발주 위축 우려도 상존한다는 점은 유의할 필요가 있다.

컨테이너선 외에 탱커와 LPG선의 신조선 수요가 해당 해운시장의 1분기 침체에도 불구하고 2014~2015년 수준으로 회복되어 시장에서 견고하게 구축되어 있던 관망세가 조금씩 해소되는 것으로 판단된다. 운항노선의 제한과 효율성 저하 등의 이유로 용도가 제한적인 3,000~6,000TEU 미만급 중형 컨테이너선의 경우 지난 5년간 분기 평균 발주량이 1.5척에 불과하였으나 금년도 1분기에 32척이 발주되었다. 이는 새로운 시장확대에 의한 수요 증가에 원인이 있는 것이 아니며, 컨테이너선 운임 상승으로 재무적 여건이 개선된 선주들의 노후선 교체가 본격화되는 신호로 해석되어 관망세 해소의 사례로 추정된다.

지난해 세계경제는 코로나19 확산의 부정적 영향으로 크게 위축되었다. 중국을 제외한 미국, 유로, 일본 등 주요국 대부분이 마이너스 성장세를 기록하면서 세계 경제 성장률은 -3.5%까지 하락한 것으로 조사되었다.

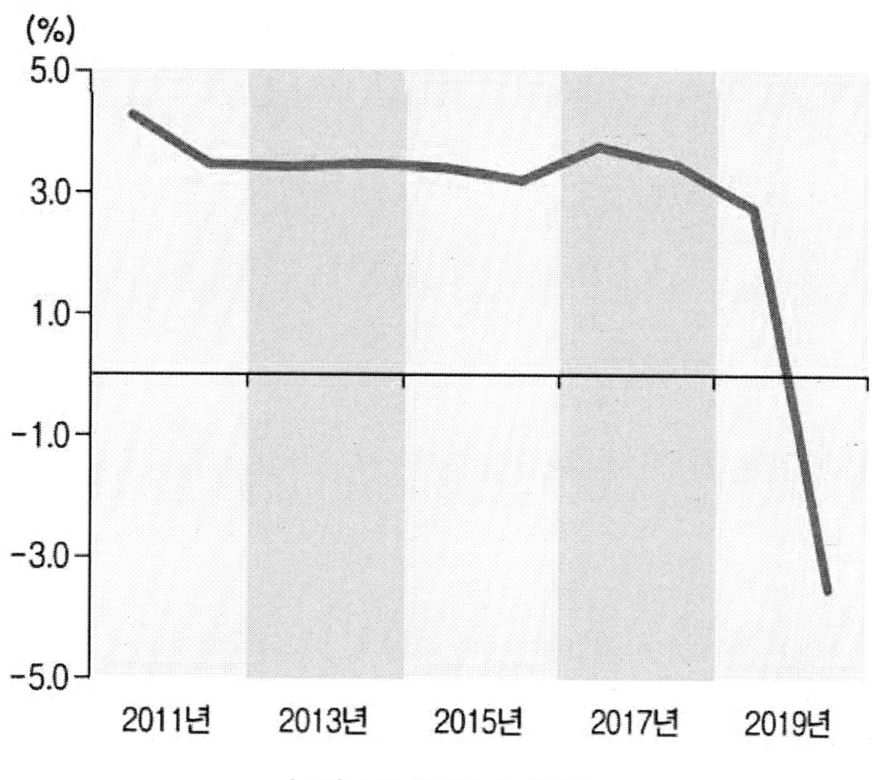


[그림 31] 세계경제 성장률

경기침체에 따른 생산 및 투자 축소로 철광석, 구리, 원유 등 원자재 교역량이 줄어든 가운데 소비심리 악화로 소비재 수출입도 크게 감소했다. 이와함께 미중 무역분쟁, 코로나19 재확산 우려 등의 불확실성도 글로벌 교역 부진을 야기하는 요인으로 작용하며 해운시장에 부정적 영향을 미친 것으로 나타났다.

이에따라 전세계 해상물동량은 2019년 119억 4천만톤에서 2020년에는 115억 1천만 톤까지 줄어든 것으로 조사되었다. 전년대비 감소율은 -3.6%에 달했는데 이는 글로벌 금융위기 시기인 2009년(-4.0%) 이후 처음으로 기록한 마이너스 성장률인 것으로 나타났다.

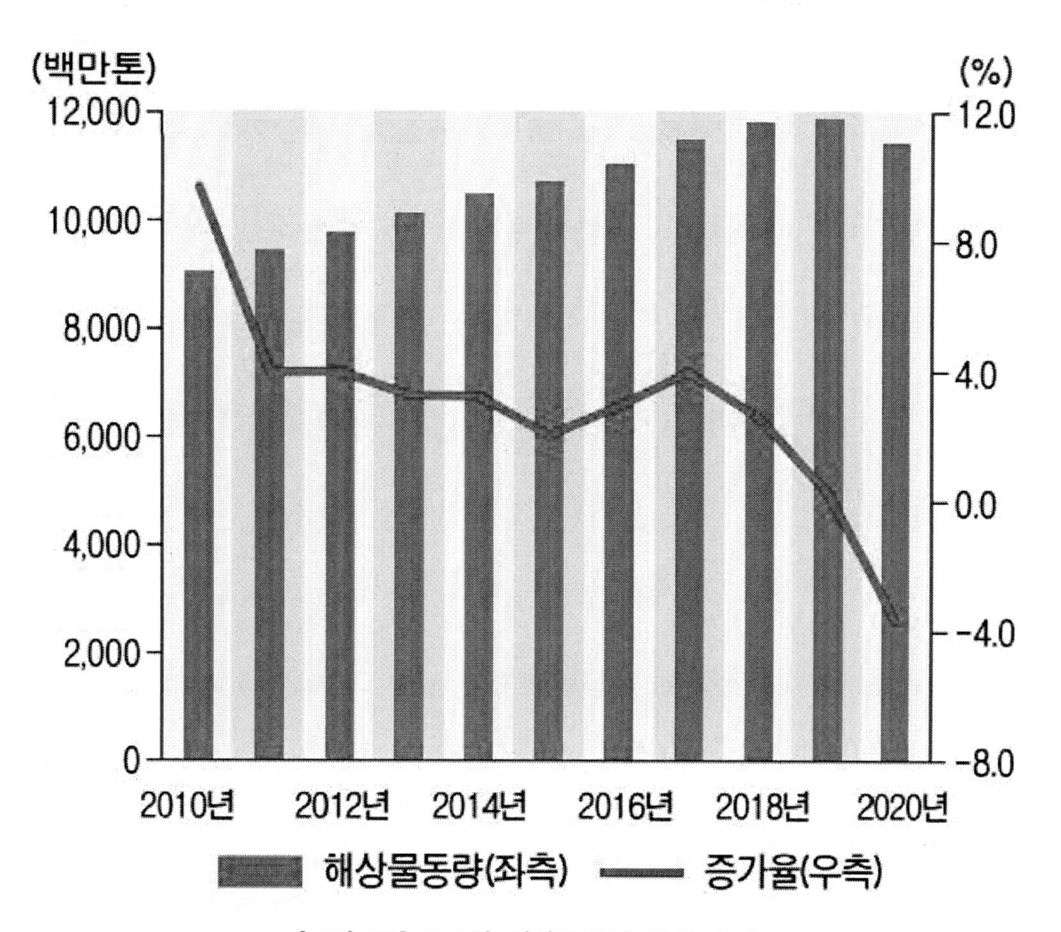


[그림 32] 글로벌 해상물동량 변화 추이

다만 2020년 하반기 들어 글로벌 해운시장은 부진에서 빠르게 벗어나는 모습이다. 건화물선 평균 운임지수(BDI)는 상반기중 677p를 기록했으나 하반기에는 1,436p로 상승했으며 컨테이너선 운임지수(SCFI)도 같은기간 914p에서 1,570p로 높아진 것으로 나타났다.

해운시장 반등은 선복량 조절 등 공급량 개선에 상당부분 기인하는 것으로 파악된다. 지난해 컨테이너 선사의 경우 코로나19 확산에 따른 물동량 감소를 우려하며 운항 감축(Blank Sailing)을 실시하는 등 선제적 대응을 통해 운임하락 방어에 성공한 것으로 평가받고 있다.

이와함께 지난 5년간 선복량 증가세가 둔화되면서 공급 부담을 상당부분 낮춘 것도 이번 코로나19 상황을 극복하는데 힘을 보탠 것으로 파악된다. 글로벌 선복량 증가율은 2011~15년중 연평균 6.3%에 달했으나 2016~20년중에는 3.3%까지 낮아진 것으로 나타났다.

한편 지난해 하반기 이후 해운 수요도 개선흐름을 보이고 있다. 이는 중국경제가 빠르게 반등하고 미국 소비도 확대된 것에 주로 기인한다. 이와함께 상반기 대기물량의 하반기 인도 재개 및 교역 불확실성에 따른 재고비축 수요 확대 등도 개선 요인으로 지목된다.

### 가) 품목별 동향[10)]

#### (1) 벌크선

2020년 벌크선 업황은 코로나19 확산에 따른 주요국 봉쇄조치, 중국 수입수요 급감 등으로 부진했다. 건화물 물동량은 2009년(-3.2%) 이후 처음으로 마이너스 성장(-1.9%)했으며 건화물선 운임지수의 경우 전년대비 -21.2% 하락한 1,056p까지 낮아졌다.

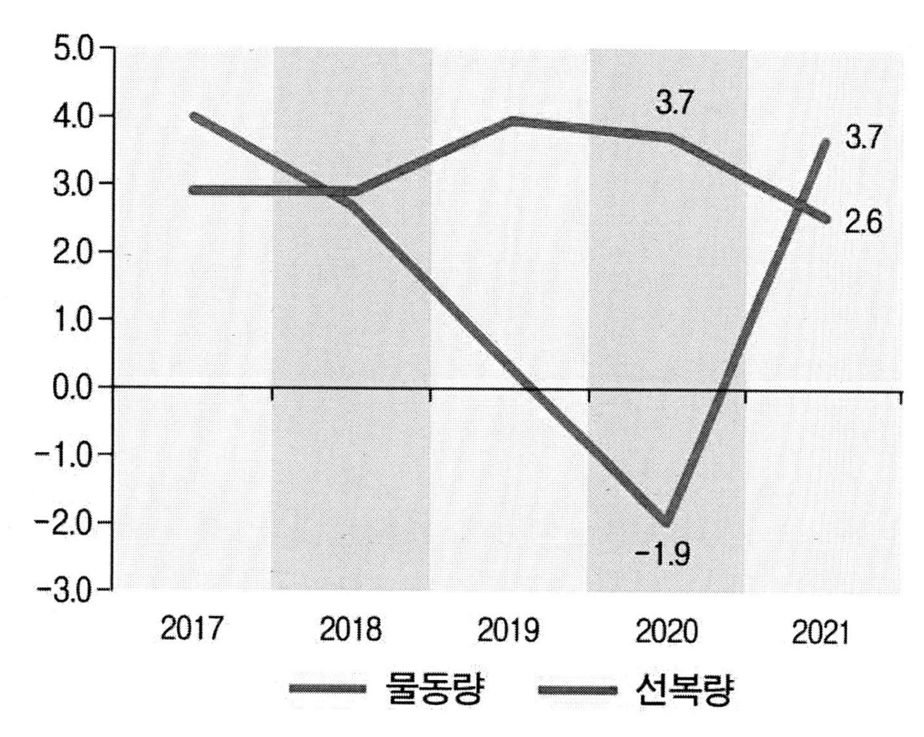


[그림 33] 건화물선 물동량 및 선대 증가율 전망 (%)

2021년에는 지난해 하반기 이후 이어지고 있는 업황 회복세를 이어나갈 것으로 기대된다. 글로벌 산업활동이 재개되고 제조업 가동률도 상승할 것으로 예상되기 때문이다. 특히 중국의 석탄, 곡물 수입 증가 등이 시장 상승에 힘을 보탤 전망이다.

공급측 부담도 완화될 것으로 기대된다. 해운시황 전문기관 클락슨에 따르면 건화물선 선복량 증가율은 지난해 3.7%에서 올해는 2.6%로 둔화될 전망이다. 이는 지난 2017년 이후 가장 낮은 증가세이며 같은기간 건화물선 물동량 증가율(3.7%)을 크게 하회하는 수준인 것으로 나타났다.

10) 글로벌 해운시장 전망과 시사점, BNK경제연구원, 2021.03

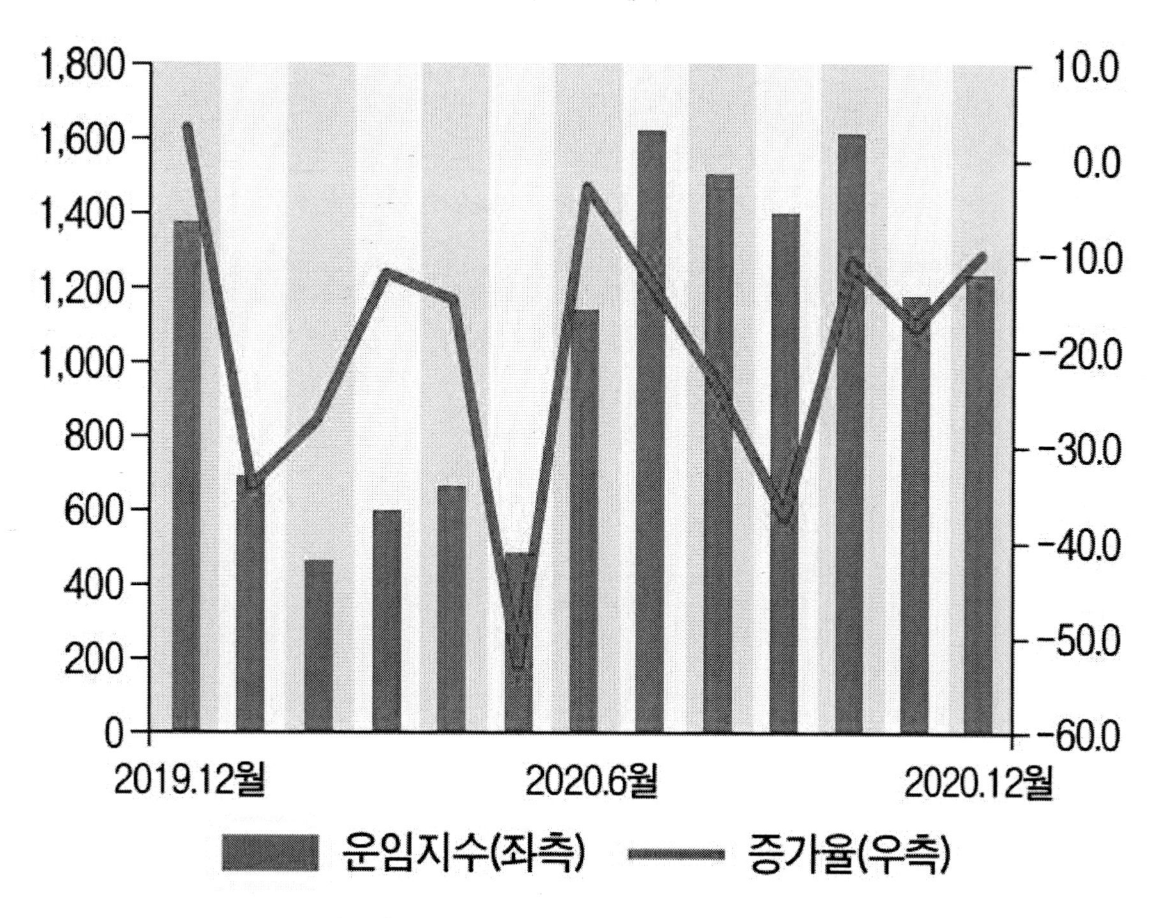


[그림 34] 건화물선 운임지수 추이 (p, %)

### (2) 컨테이너선

2020년 컨테이너선 업황은 코로나19 확산의 영향에도 불구하고 큰 폭의 상승세를 보였다. 컨테이너 운임지수는 상반기중 900p 내외에서 등락하다가 하반기 들어 주요국 소비 증가 등으로 빠르게 상승했다. 특히 4분기중에는 컨테이너 박스 부족 현상까지 겹치면서 전년동기대비 136%(1,935p)의 급등세를 보였다.

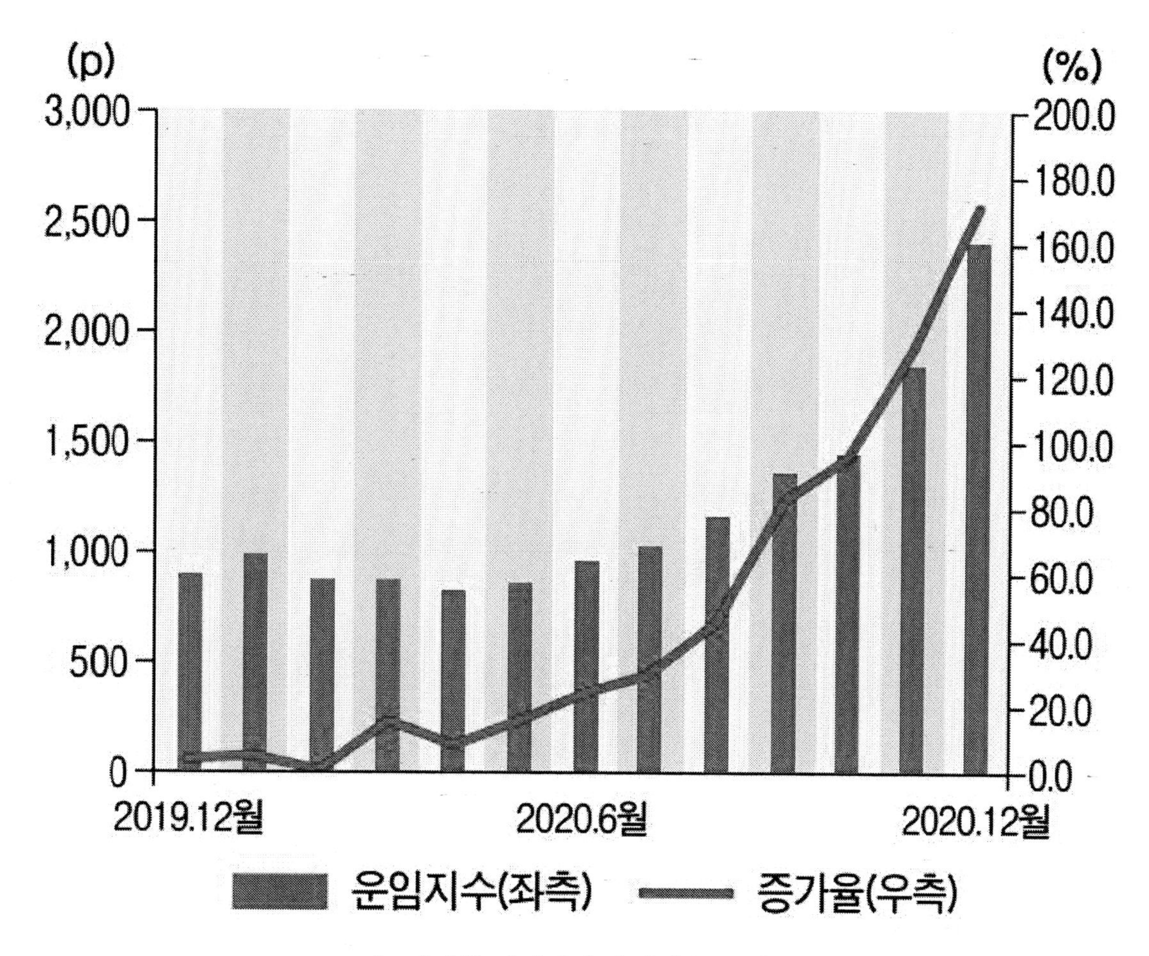


[그림 35] 컨테이너 운임지수 추이

2021년에도 컨테이너선 업황 상승세는 지속될 전망이다. 기저효과가 예상되는 가운데 글로벌 경제활동 재개 및 소비심리 회복, 미국의 대규모 경기부양 정책 효과 등이 기대되기 때문이다. 컨테이너 물동량(5.7%)도 선복량(3.9%) 증가세를 상회할 것으로 예상되고 있다.

이와함께 황산화물 배출 규제, EU 온실가스 배출거래 의무화 등 해상 환경규제가 강화되는 것도 우호적 요인이다. 선주들이 환경 규제에 적극적으로 대응할 경우 노후선 해체 증가 등으로 선박 공급량이 예상보다 빠르게 줄어들 가능성도 있기 때문이다.

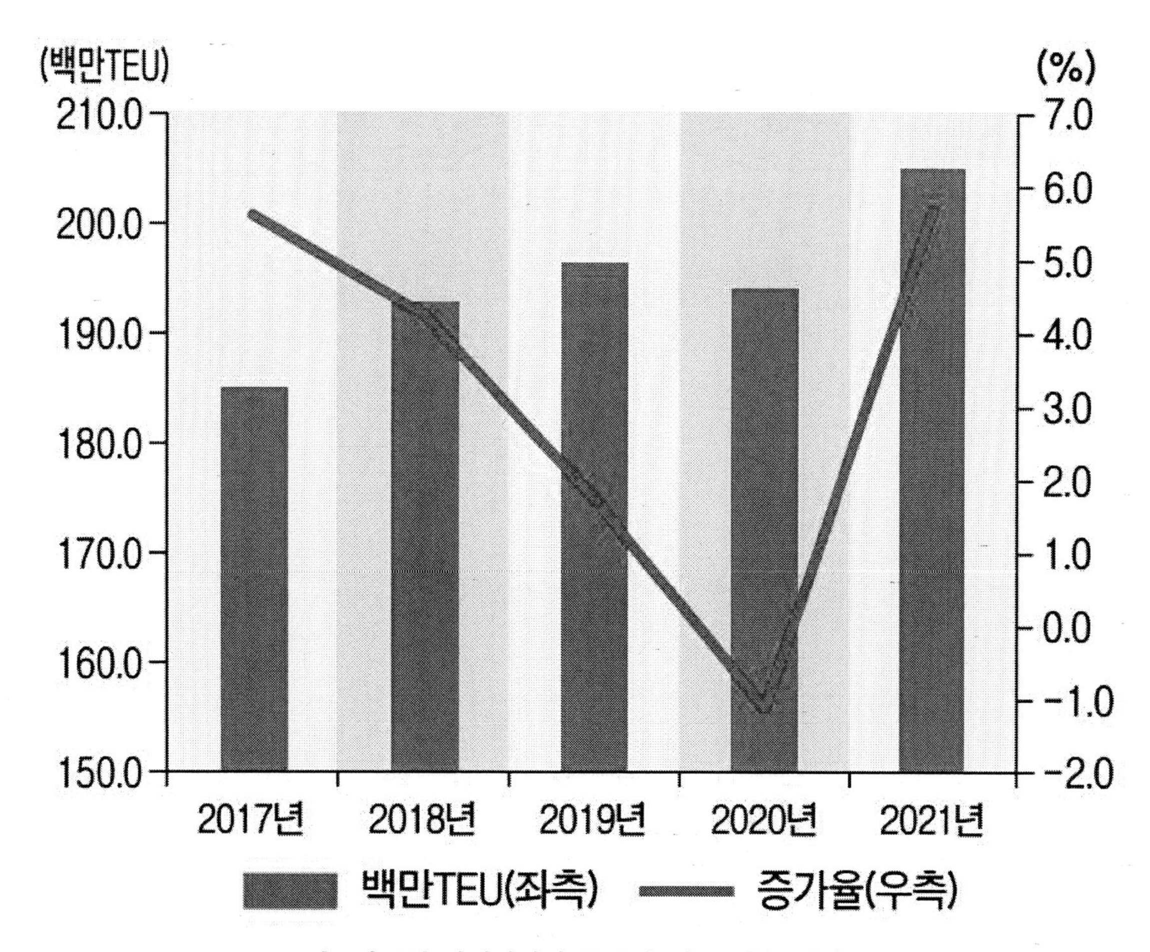


[그림 36] 컨테이너선 물동량 및 증가율 전망

2020년 코로나 유행 상황에서 가장 큰 변화를 보이는 운임시장은 컨테이너시장이다. 10년 내 기간 중 가장 스팟운임이 높았던 2010년, 2012년 수준까지 운임이 급격하게 상승했다. 2010년이나 2012년의 경우 유가가 높아서 연료비 부담이 높았던 것을 감안하면, 대형 컨테이너 운항선사들의 어닝 수준은 해당시기보다 높을 것으로 예상한다. 해운시황 전망기간 드류리(Drewry)는 2010년 이후 가장 좋은 컨테이너 시장을 기록할 것이라고 분석한 바 있다.

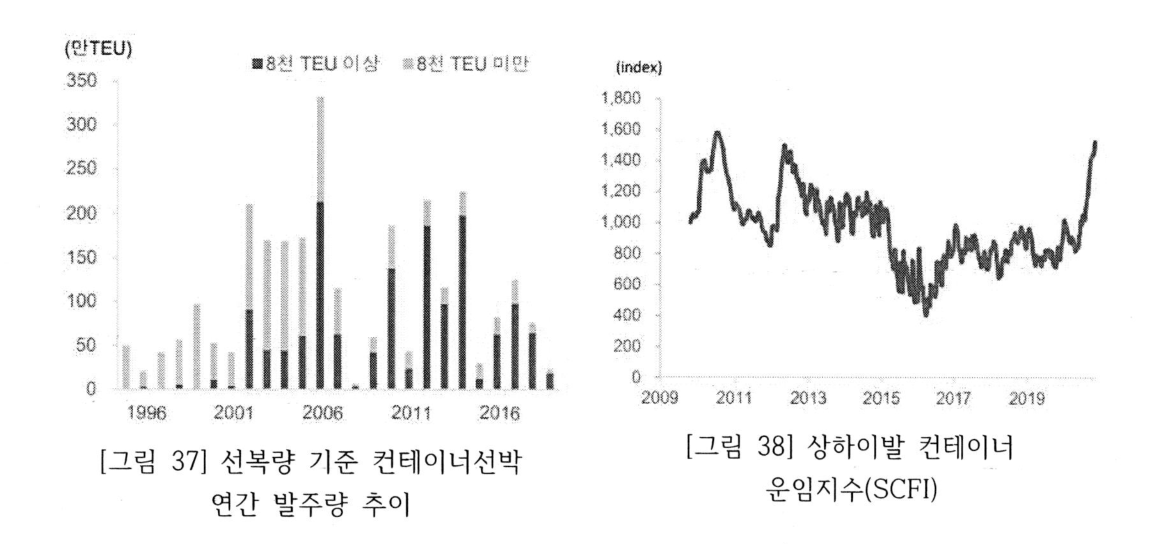


[그림 37] 선복량 기준 컨테이너선박 연간 발주량 추이

[그림 38] 상하이발 컨테이너 운임지수(SCFI)

이처럼 사용자의 어닝 수준이 높아지다 보니 선박의 신규발주에 대한 기대감이 높아지고 있는 것도 사실이다. 동일시기 운임과 발주량 사이의 관계를 보면, 운임 수준이 대체로 1천포인트를 상회하던 2014년 이전까지 시기의 발주량 대비 운임 하락 이후 발주량이 과도하게 감소한 것은 사실이기 때문이다.

컨테이너 시장은 탱커나 드라이벌크 같은 부정기선 시장과는 성격이 다르다. 다수의 선대를 지배하는 상위 플레이어가 노선의 다양성과 정시성을 경쟁력으로 내세우며 영업을 하는 시장이다. 화물의 탑재율이 낮더라도 화주와 약속한 시간에 선박이 출발해서 약속한 시간에 도착하는 것이 가장 중요한 시장이다.

코로나 유행이 시작된 1분기는 컨테이너선사들에게도 비수기이다. 1차 유행의 정점을 기록한 3~4월은 컨테이너선사들에게 해당 연도의 첫 장사의 시작점이다. 아시아에서 2차 유행의 조짐이 나타나기 시작한 3분기 말은 연중 최고 성수기이며, 유럽과 북미지역의 2차 유행이 나타나는 현 시점은 3분기 다음으로 물량이 많은 2번째 성수기에 해당한다. 1차 유행기에 선사들은 성수기 진입기 스케줄을 포기했다. 항차를 늘리지 않고, 추가운임 하락방지에 초점을 모았다. 더 느리게 다니는 것이 가능할까 싶을 정도로 운항 속도도 늦췄다. 국제원유가가 100달러를 넘던 시기에 연료비 절감을 위해 등장했던 감속운항(Slow Steaming)을 역대급 저유가(원유선물 마이너스 37달러 기록)에서 활용하는 기이한 현상을 보게 된 것이다. 연초부터 4개월 가까이 하락하던 운임은 4월말을 저점으로 반등하기 시작했다.

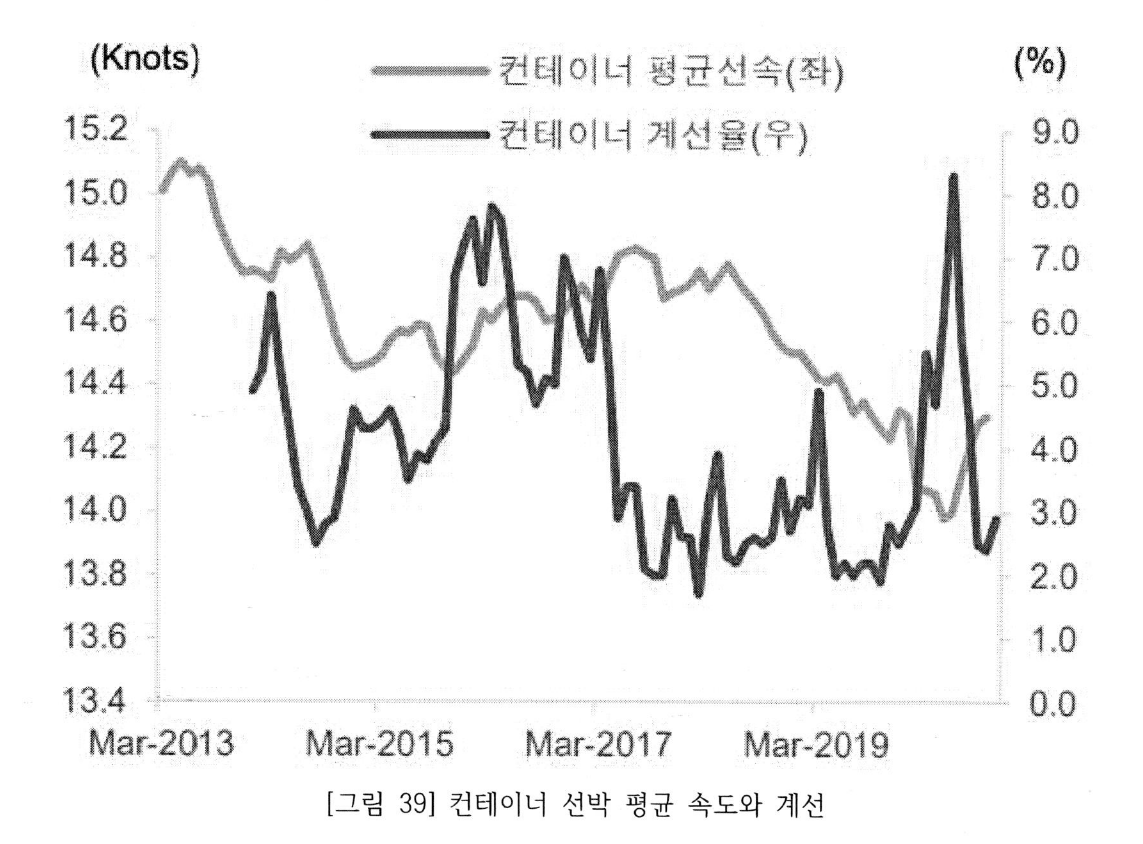


[그림 39] 컨테이너 선박 평균 속도와 계선

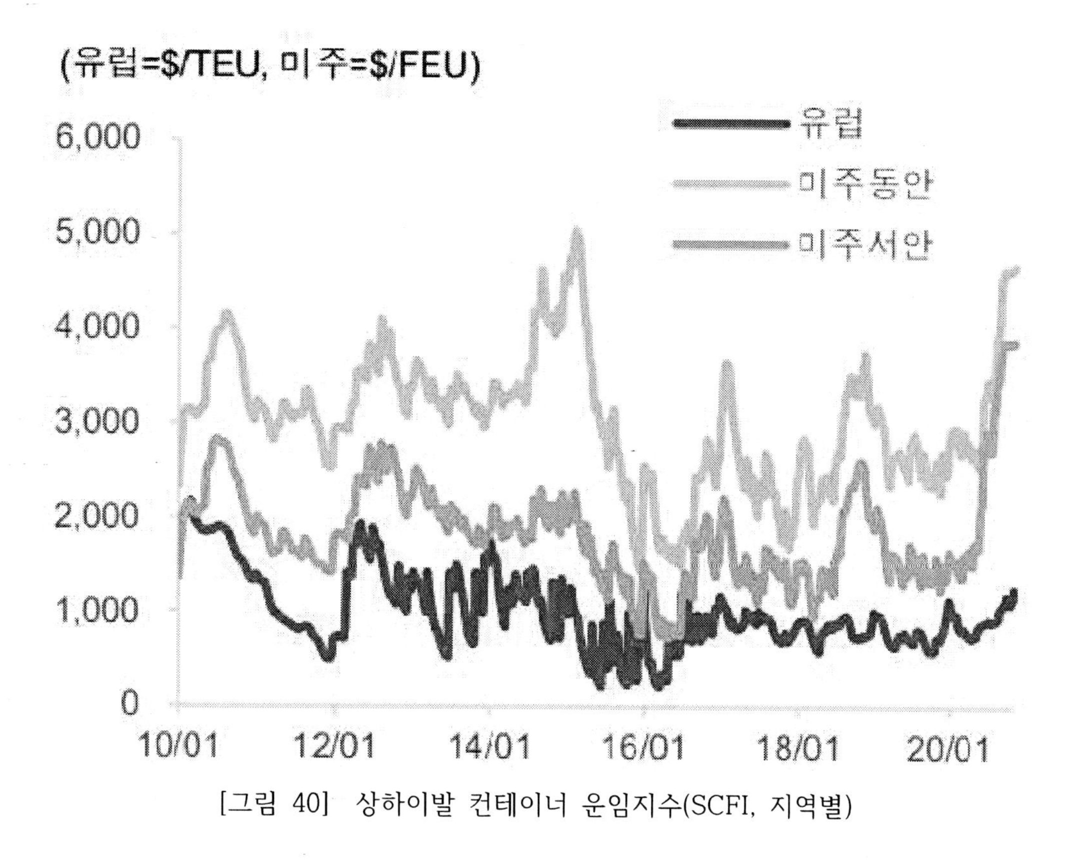


[그림 40] 상하이발 컨테이너 운임지수(SCFI, 지역별)

지난 2020년 11월 6일 기준 SCFI(Shanghai Containerized Freight Index) 1664.56 으로 상하이발 컨테이너 운임지수 발표 이후에 가장 높은 수치를 기록했다. 선속을 낮추고, 항차를 줄이는 과정에서 공급량은 줄고 수요는 그보다 줄지않아 생긴 운임 급등현상이지만, 연말까지 지속가능성은 매우 높을 것으로 예상한다. 왜냐하면 컨테이너는 정기선 형태로 운영되기 때문이다.

시황이 좋다고 노선 스케줄을 단기간에 변경할 수 있는 성격의 선종이 아니다. 2021년 시즌 노선 스케줄 재편성시 수익성이 좋은 노선에 집중적으로 선사들이 공급을 투입할 가능성이 높다. 계절성을 반영하여 1분기에 운임이 하락하기 시작할 것이며, 2021년 평균 운임은 2020년보다 낮아질 가능성이 높다.

최근 12척의 컨테이너 선박 발주 소식이 전해졌다. 2만TEU이상의 초대형선 7척과 3~3.5천 TEU급 피더선 다수에 대한 발주였다. 중국 해운사가 대형선을 중국 조선소에게 발주, 일본 해운사가 피더선을 중국 조선소에 발주하여 한국 조선업체들의 수혜는 하나도 없었다. 하지만 발주 선박의 인도시기가 2023~2024년에 포진되어 있어 등으로 보아 동일 시기 인도물량에 대한 추가 발주를 기대해볼 수 있다.

2018년에는 HMM, 2019년에는 CMA-CGM과 중국계 위주의 발주가 있었다. 2M 중 MSC가 2만TEU 이상의 선박을 인도받을 예정이지만 1등 선사인 머스크사의 인도예정물량이 현저하게 줄어들어 있다는 사실을 주목해야한다.

| Size | Unit | Built | Builder | Owner Group |
|---|---|---|---|---|
| 3,500 | TEU | 2023-01 | Jiangsu New YZJ | Unknown Japanese |
| 3,500 | TEU | 2023-05 | Jiangsu New YZJ | Unknown Japanese |
| 3,500 | TEU | 2022-11 | Jiangsu New YZJ | Unknown Japanese |
| 3,500 | TEU | 2023-03 | Jiangsu New YZJ | Unknown Japanese |
| 3,500 | TEU | 2023-07 | Jiangsu New YZJ | Unknown Japanese |
| 23,000 | TEU | 2023-11 | Dalian COSCO KHI | China COSCO Shipping |
| 23,000 | TEU | 2024- | Dalian COSCO KHI | China COSCO Shipping |
| 23,000 | TEU | 2023-08 | Nantong COSCO KHI | China COSCO Shipping |
| 23,000 | TEU | 2024- | Nantong COSCO KHI | China COSCO Shipping |
| 23,000 | TEU | 2023-08 | Dalian COSCO KHI | China COSCO Shipping |
| 23,000 | TEU | 2024- | Dalian COSCO KHI | China COSCO Shipping |
| 23,000 | TEU | 2023-11 | Nantong COSCO KHI | China COSCO Shipping |

[표 4] 컨테이너선 발주 물량

머스크사는 규모의 경제(Economy o scale), 에너지 효율(Energy efficient), 친환경(Environmentally improved)의 맨 앞 글자를 모아 명칭한 Triple-E 클래스 컨테이너 선박을 2011년 2월에 발주한 바 있다. 한꺼번에 무려 20척 규모의 선박을 발주했고, 2년 뒤인 2013년부터 3년에 걸쳐 인도를 받은 뒤 운영효율을 높였다. 다음으로는 2만TEU급 선박을 10척 발주했으며, 2017년부터 3년에 걸쳐서 인도받은 뒤 운영효율을 높여 놓은 상태이다.

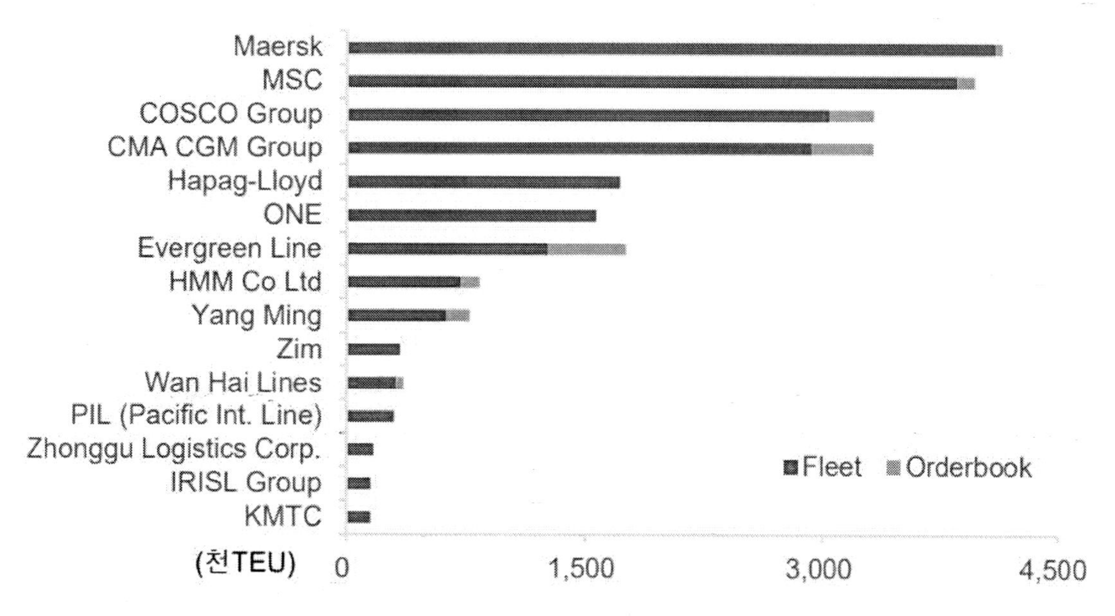


[그림 41] 상위 15개 컨테이너 선사 현재 운영 선복량과 미인도 선복량

| 노선별 | 2018 | 2019 | 2020F | 2021F | 2020% | 2021% |
|---|---|---|---|---|---|---|
| Transpacific | 26.8 | 26.2 | 26.0 | 26.9 | -0.8% | 3.4% |
| Far East-Europe | 23.8 | 24.8 | 23.5 | 24.7 | -5.5% | 5.3% |
| Other East-West | 28.4 | 28.6 | 26.3 | 28.4 | -8.2% | 8.2% |
| North-South | 32.3 | 32.2 | 31.3 | 32.9 | -2.8% | 5.1% |
| Other | 81.9 | 84.7 | 83.5 | 88.2 | -1.4% | 5.6% |
| Total Trade, m.teu | 193 | 197 | 191 | 201 | -3.0% | 5.5% |
| %growth | 4.2% | 1.8% | -3.0% | 505% | | |
| Total est.bn TEU-miles | 968 | 984 | 950 | 1,002 | -3.5% | 5.4% |
| %growth | 3.5% | 1.7% | -3.5% | 5.4% | | |
| 선복량(총합, 천TEU) | 20,910 | 22,083 | 22,964 | 23,498 | 24,146 | |
| %supply | 5.6% | 4.0% | 2.3% | 2.8% | | |
| 선복량(대형선, 천TEU) | 10,273 | 11,365 | 12,243 | 12,823 | 13,626 | |
| %supply(8천TEU 이상) | 10.6% | 7.7% | 4.7% | 6.3% | | |

[표 5] 컨테이너 시장 수급

연간 최소 20만TEU의 선박 해체를 가정할 경우 수요성장률 5%를 대응할 수 있는 발주 선복량은 약 150만TEU이다. 2022년 인도예정량은 40만TEU가 되지 않고 있으나 해당 연도의 공급량은 이전 연도까지 인도된 선박으로 충당된다고 가정해도 무방하다. 다만 2021년에는 2023년부터의 인도예정량에 대한 계획을 세워야 하는 시기이다. 두 자릿수를 유지해오던 컨테이너 수주잔고는 선복량 대비 7.86%까지 하락한 상황이다. 연평균 150만TEU의 선박 발주를 예상하며, 이는 780만CGT로 조선소 건조능력의 23%를 차지할 것으로 보인다.

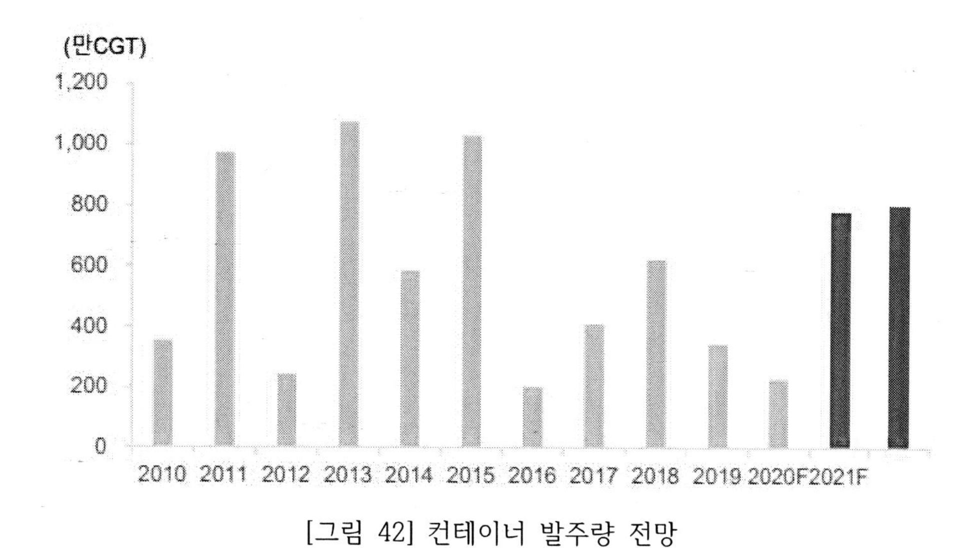


[그림 42] 컨테이너 발주량 전망

### (3) 유조선

2020년 유조선 시장은 크게 부진했다. 상반기중 운임은 유가 급락에 따른 저장수요 증가 등으로 상승했으나 하반기에는 산유국 감산 및 수요 증가에 따른 유가 반등세 등 으로 하락했다. 유조선 운임지수 평균은 상반기중 전년동기대비 83.1% 증가한 89p까지 상승했으나 하반기에는 32p까지 하락했다.

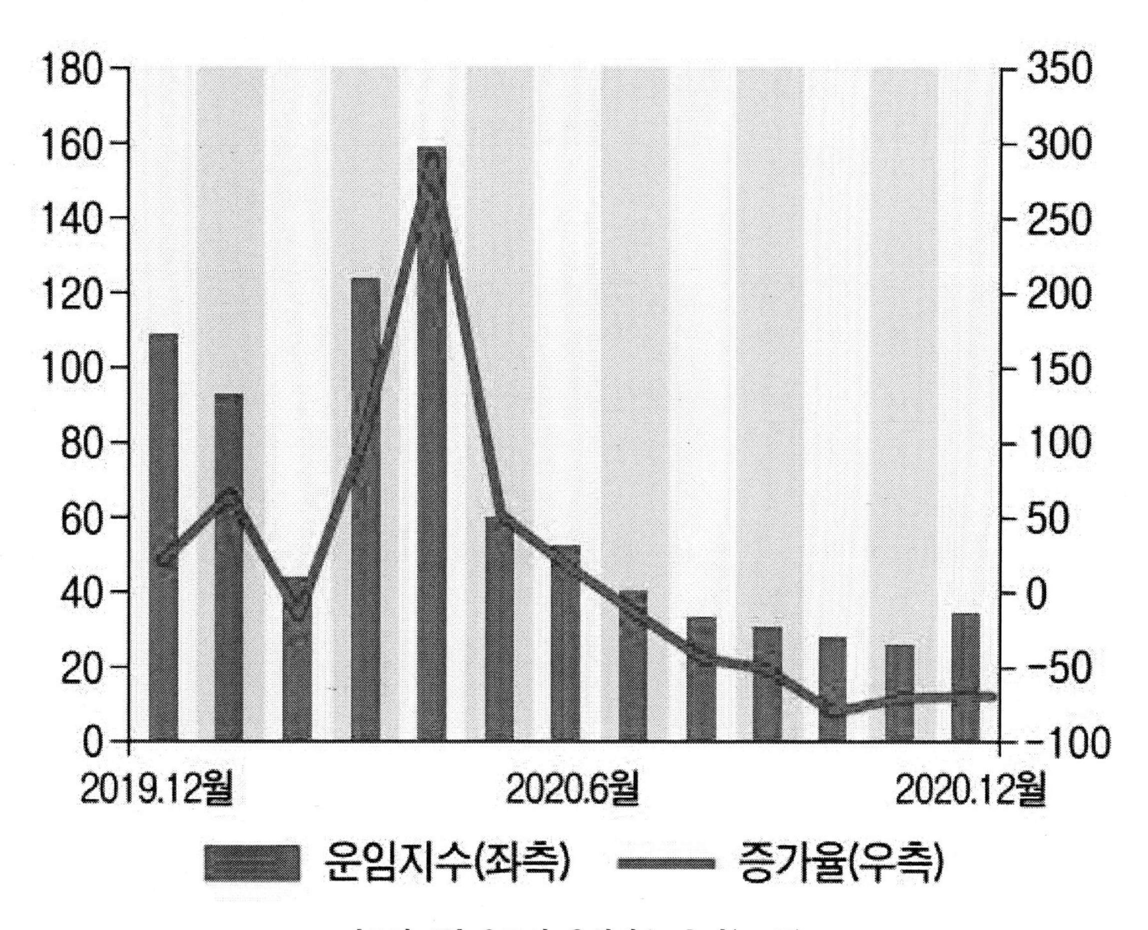


[그림 43] 유조선 운임지수 추이(p, %)

2021년에도 유조선 시장은 개선되기 어려울 전망이다. 경기 반등에도 불구하고 인적 이동은 제한적 수준에 그치면서 항공유 등 운송용 원유 수요 증가세가 높지 않을 것으로 예상되기 때문이다. 석유수요는 일평균 9,627만 배럴로 전년대비 6.5% 증가하겠으나 2019년 수준(9,998만 배럴)에는 미치지 못하는 미약한 수준으로 전망되고 있다.

공급부문도 선복량 증가세 둔화에도 불구하고 크게 개선되기 어려울 것으로 예상된다. 원유 저장용으로 활용11)되고 있는 선박이 금년중 빠르게 시장에 재투입되면 선복량 공급부담을 높여 운임하락 요인으로 작용할 가능성이 상당하기 때문이다.

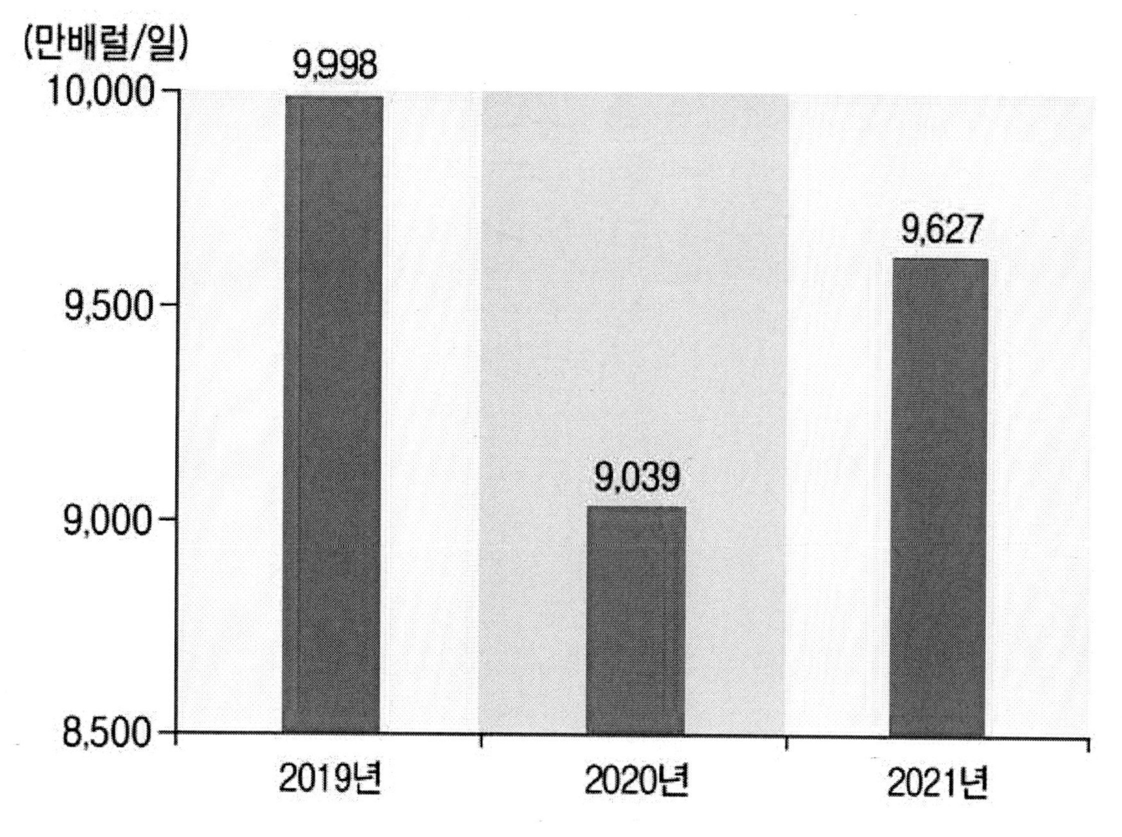


[그림 44] 세계 석유 수요 전망

### (4) LNG선[11)]

LNG선 시장은 2020년 조선소들이 유일하게 기대한 시장이다. 러시아, 카타르, 모잠비크 프로젝트에서 필요로 하는 LNG 선박을 한국에 집중적으로 발주하려는 움직임이 많았기 때문이다. 개별 프로젝트들이 필요로 하는 선박의 양이 절대적으로 많고, 원하는 인도시기가 비슷하다는 점 때문에 1개 프로젝트의 발주가 다른 프로젝트의 선박발주를 연쇄적으로 이끌어낼 것으로 예상되었다. 2019년까지 이어진 수요증가율을 크게 벗어나진 않은 것으로 추정되지만, 신규 프로젝트에 대한 투자는 다수 지연되었다. 2024년부터 신규생산을 시작하고자 하는 프로젝트가 집중적으로 많다는 점도 발주는 늦추는 원인이 되었다.

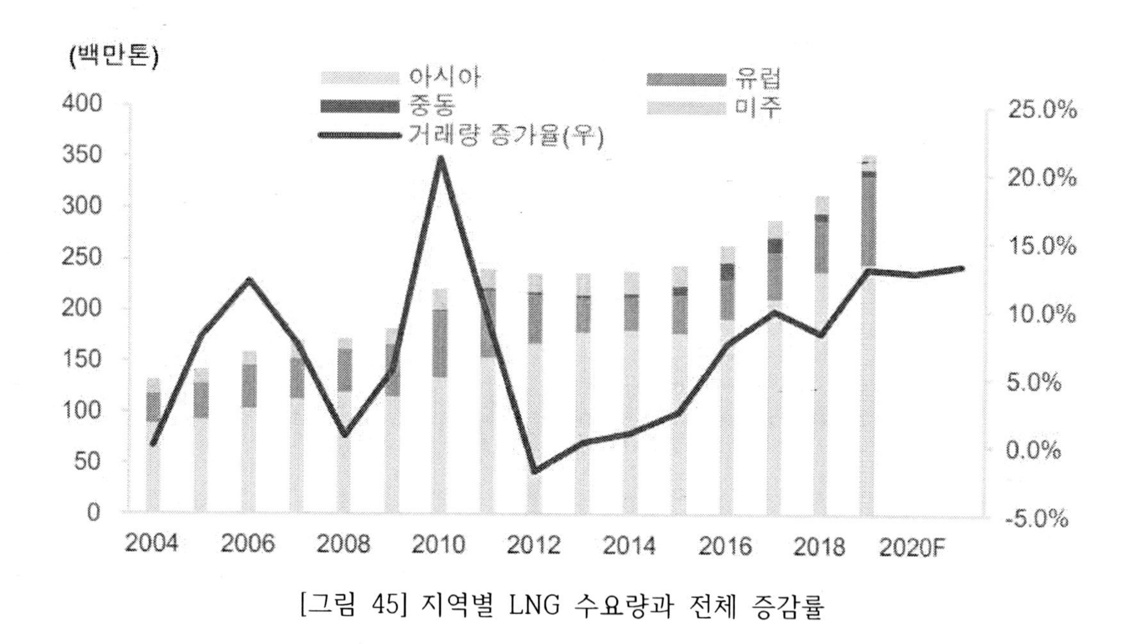


[그림 45] 지역별 LNG 수요량과 전체 증감률

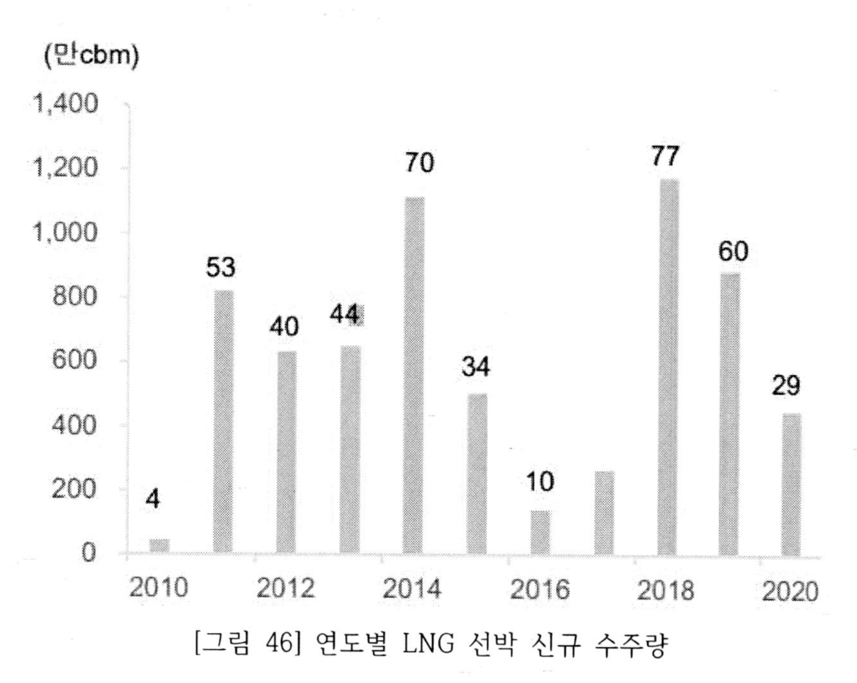


[그림 46] 연도별 LNG 선박 신규 수주량

11) 2021년 조선업 산업전망, 신영증권, 2020.11.11

2018년, 2019년에 이어졌던 60척 이상의 LNG 수송선 발주 기세는 절반으로 꺾였다. 단일 프로젝트 기준으로 많은 양을 한꺼번에 발주한 케이스는 러시아 즈베다 조선소에 자국 발주 물량이 발주된 것을 제외하고 없다.

2020년 또는 2021년에 최종투자결정이 예정되어 있었던 프로젝트들의 대부분 예정시간에 투자결정을 확정짓지 못하고 1년 정도 투자결정이 연기되었다. 어차피 첫 가스생산 시기가 2024년 이후에 분포되어 있어서 최종 투자결정이 앞당겨져야만 하는 필요성은 적었다.

| 프로젝트명 | 연간생산량 (백만톤) | 이전 FID 예정시기 | 재 확정 FID 예정시기 | 첫생산 |
|---|---|---|---|---|
| Total E&P PNG | 5.4 | 2021 | 2022 | 2027 |
| ExxonMobil PNG | 2.7 | 2021 | 2022 | 2030 |
| Woodside Burrup | 5 | 2021 | 2H21 | 2025 |
| Novatek | 4.8 | 2020 | 2H21 | 2024 |
| Energia Costa Azu | 2.4 | 2020 | 4Q20 | 2024 |
| Mag LNG Holdings | 8 | 2020 | 2021 | 2024 |
| Pieridae Energy | 5 | 2020 | 2021 | 2026 |
| Freeport LNG Exp | 5.1 | 2020 | 2021 | 2024 |
| Cheniere Energy Inc | 9.8 | 2020 | 2021 | 2024 |
| Gazprom | 13 | 2020 | 2021 | 2024 |
| Rovuma | 15.2 | 2021 | 4Q21 | 2026 |
| Lake Charles LNG | 16.4 | 2020 | 2021 | 2026 |
| Woodfibre LNG | 2.1 | 2020 | 2021 | 2025 |
| Port Arthur LNG | 13.5 | 2020 | 2021 | 2024 |
| Rio Grande LNG | 13.5 | 2020 | 2021 | 2024 |
| Qatar Petroleum | 31.2 | 2020 | 2021 | 2025 |
| Driftwood | 27.6 | 2020 | 2021 | 2024 |

[표 6] 단기간 내 투자결정 예정이었던 LNG 프로젝트

2019년과 올해 발주된 선박이 집중적으로 인도되는 2022년과 2023년은 필요 선박만큼 선박이 안도되게 될 예정이다. 하지만 2024년부터 새롭게 생산을 시작하는 프로젝트들이 많아서 신 규 발주가 필요하다. 물론 현재 기본설계 중인 프로젝트 중 생산 예정 시점을 추가 수정하는 사례는 발생하겠지만 2024년부터 3년간 집중적으로 LNG 시장에 대한 투자가 이루어질 예정이어서 발주량 개선에 많은 영향이 있을 것으로 보인다.

| 연도 | 필요 선복량 | | 기발주 선복량 | |
|---|---|---|---|---|
| | (척) | (cbm) | (척) | (cbm) |
| **2022F** | 27 | 4,538,000 | 32 | 4,749,420 |
| **2023F** | 27 | 4,401,000 | 23 | 3,986,600 |
| **2024F** | 179 | 30,834,000 | 5 | 863,000 |
| **2025F** | 196 | 34,104,000 | 5 | 863,000 |
| **2026F** | 237 | 41,238,000 | | |
| **2027F** | 89 | 15,486,000 | | |
| **2028F** | 61 | 10,614,000 | | |

[표 7] LNG 개발 프로젝트 기반 필요 선복량과 현재기준 기발주 선복량

오일 뿐만 아니라 LNG 개발 프로젝트도 생산 개시 시점을 맞추는 경우는 거의 없다. 그럼에도 불구하고 2024년부터 2026년 생산 개시계획이 지나치게 많은 것은 사실이다. 과거 10년 평균 연간 발주량의 60% 이상 더 발주되는 기간이 장기간 이어질 것으로 예상한다. 수주 점유율이 이전 대비 낮아진 초대형 컨테이너선보다 한국 조선소에게 수주물량 버팀목 역할을 해 줄 것으로 보인다.

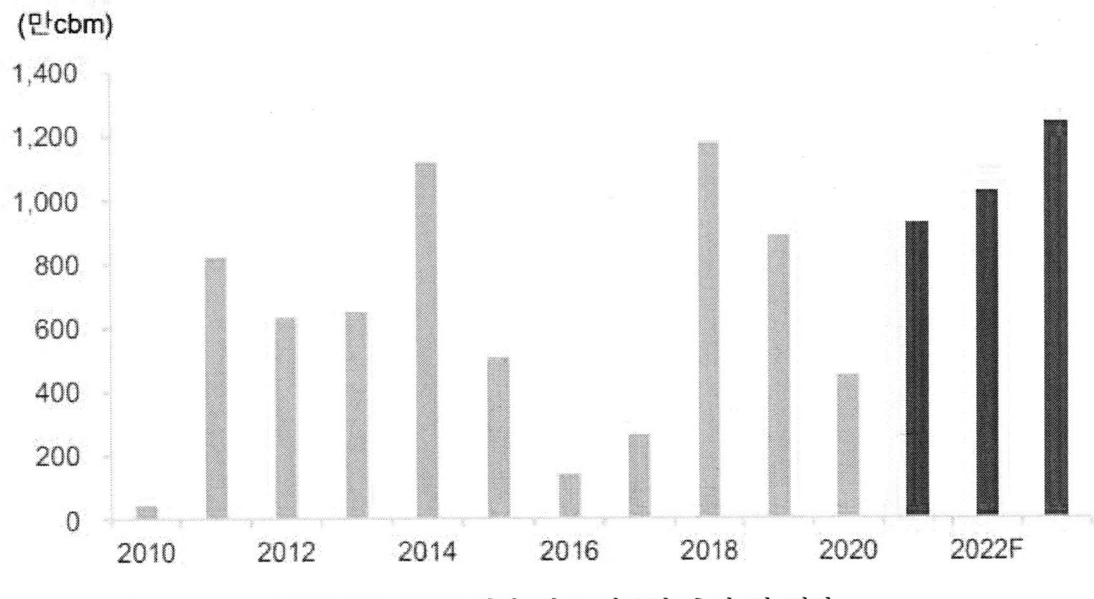


[그림 47] LNG 선박 신규 발주량 추이 및 전망

<table>
<tr><th>선종</th><th colspan="2">특징</th></tr>
<tr><td rowspan="3">벌크선</td><td colspan="2">·BDI 지수는 2018년 3분기까지 상승했다 2019년 1분기 기준 1,190까지 하락<br>·2011년부터 지속된 공급과잉이 다소 해소되면서 수급이 안정되어 가는 모습</td></tr>
<tr><td>수요</td><td>공급</td></tr>
<tr><td>·2018년 벌크선 수요는 전년 대비 약 2.3% 증가. 2019년 물동량 증가율도 비슷한 수준 보일 전망<br>·전 세계 철광석 물동량 70% 차지하고 있는 중국의 2018년 철광석 수입량은 전년 대비 1.0% 감소</td><td>·2018년 벌크선 선복량은 전년 대비 3.0% 증가. 2019년 선복량 증가율도 비슷한 수준을 보일 것으로 전망됨<br>·2020년부터 시행되는 선박 환경규제의 영향으로 2019년부터는 해체량이 크게 증가할 것으로 전망</td></tr>
<tr><td rowspan="3">탱커선</td><td colspan="2">·2019년 오일탱커 수급은 물동량 증가율이 2.0%, 선복량 증가율이 1.1%로 예측되면서 공급과잉이 완화될 것으로 전망<br>·아시아 국가들의 원유 수입 및 정제시설 확대를 통한 석유제품유 생산이 증가하고 있기 때문에 전체 탱커선의 수요는 2018년 대비 증가할 전망</td></tr>
<tr><td>수요</td><td>공급</td></tr>
<tr><td>·2018년 전 세계 오일 해상 물동량은 전년 대비 약 1.2% 증가. 2019년 물동량은 전년 대비 2.0% 증가할 전망<br>·미국의 파이프라인 증설을 통한 수출 능력 확대, OPEC 회원국 간의 협력 약화 및 감산 합의 불이행 등은 원유 및 석유제품 수요를 증가시킬 전망</td><td>·2018년 오일탱커 선복량은 전년 대비 4.8% 증가. 2019년 선복량 증가율은 1.1%로 2018년에 비해 낮은 수준을 보일 전망<br>·OPEC 감산 정책 등으로 인한 시황 침체 및 환경 규제로 인한 노령선 철수 등으로 오일탱커의 해체량은 지난 20년 동안 최대치를 기록</td></tr>
<tr><td rowspan="3">가스선</td><td colspan="2">·유가 상승 등으로 대체 에너지원인 LNG 수요가 늘어남에 따라 LNG선 운임은 2015년 이후부터 지속적으로 올라 2018년 11월 최고 수준 기록<br>·LPG선의 스팟운임은 2015년 7월 이후 지속적으로 하락하는 모습을 보임</td></tr>
<tr><td>수요</td><td>공급</td></tr>
<tr><td>·2018년 LNG 교역량은 전년 대비 10.3% 증가, LPG 교역량은 전년 대비 5.2% 증가<br>·화석원료나 오일에서 친환경적인 LNG로의 에너지 비중이 늘어남에 따라 향후 LNG 교역량은 지속적으로 증가할 것으로 전망</td><td>·2018년 LNG 선복량은 전년 대비 6.4% 증가. LPG선의 선복량은 전년 대비 8.9% 증가<br>·향후 LNG 수요가 더 증가할 것으로 예측됨에 따라 LNG선의 발주가 더욱 늘어날 전망. LPG선은 2016년 부터 지속된 저시황에 따라 2019년 선복량 증가율은 1.5%로 더욱 낮아질 전망</td></tr>
<tr><td rowspan="3">컨테이너선</td><td colspan="2">·파나마 운하 확장, 얼라이언스에 소속하고 있지 않은 일부 선사들의 신규 서비스 취항 등으로 경쟁이 심화됨에 따라 컨테이너 운임지수 CCFI는 하락세로 전환</td></tr>
<tr><td>수요</td><td>공급</td></tr>
<tr><td>·컨테이너 화물은 2009년부터 연평균 약 5.5%의 높은 성장률 보임<br>·2019년 물동량은 약 4.4% 증가할 전망이지만 최근 미·중 무역전쟁으로 인한 관세 부과 움직임에 따라 불확실성이 존재</td><td>·2018년 컨테이너선 선복량은 전년 대비 5.6% 증가. 2019년 선복량 증가율은 2.8%로 전망<br>·2000년대 초 지속되어 왔던 공급과잉이 점차적으로 해소될 것으로 보이며, 수급불균형의 폭이 줄어들 것으로 전망</td></tr>
</table>

[표 8] 글로벌 해운시장에서의 선종별 특징

## 2) 국가별 동향

### 가) 중국[12)]

2021년 4월 2일 중국선박그룹유한회사는 두 개의 주요 조선소인 대련조선 중공업그룹유한회사와 광선국제유한회사가 100억 위안 이상의 총 수주 금액으로 13개의 16,000TEU 컨테이너선을 수주했다고 발표했다. 2021년 1분기 전 세계 거래 컨테이너선 151척, 총 1,659만 DWT다. TEU 기준으로 2020년 전년대비 1.6배 증가하였으며, 중국은 세계 컨테이너선 신조 수주량의 52%를 차지하고 있다.[13)]

영국 글로벌 해운 조선업 리서치 기관인 드로리(Drewry)에 따르면 전 세계 드라이 컨테이너(일반 화물용으로 가장 많이 사용되는 컨테이너)의 96%가 중국에서 생산되며 냉장 컨테이너는 모두 중국에서 생산된다. 지난 20년간 중국 컨테이너 제조 산업의 시장 점유율은 증가했고 지배적인 위치를 차지하고 있다. 통계에 따르면 올해 1분기 중국 제조업체 CIMC, 둥펑, CXIC의 생산량이 글로벌 생산량의 82%를 차지했다. 이 세 곳은 총 138만 개의 표준 컨테이너를 생산해냈다.

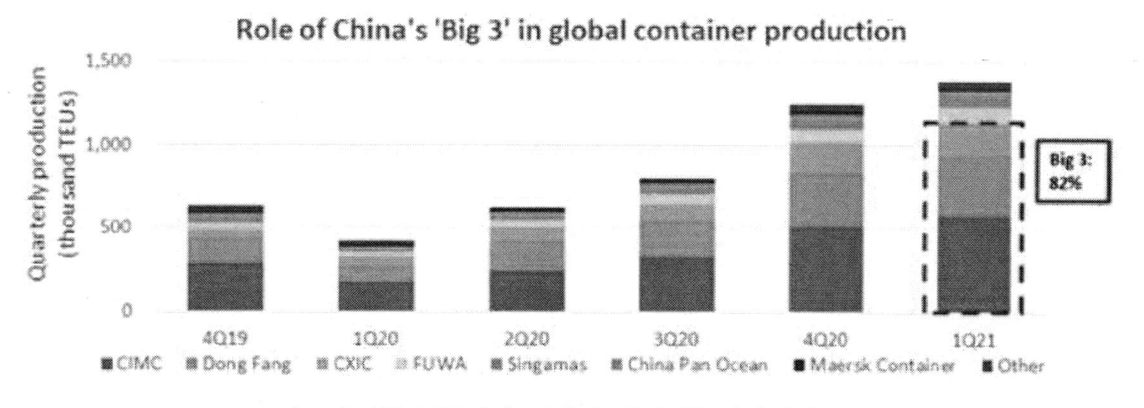


[그림 48] 중국 3대 기업이 생산 한 컨테이너 수

1990년대까지만 해도 세계 최대 컨테이너 생산국은 한국이었다. 연간 생산량은 349,000TEU로 독보적인 우위를 선점했다. 그러나 이듬해 중국의 제조 능력이 증가하며 한국을 따라잡기 시작했고, 시장 점유율은 1990년 7.2%에서 1999년 69%로 상승했다. 중국이 컨테이너 생산 1위 국으로 등극하게 된 기저에는 저렴한 제조 비용과 공급 위치와의 근접성이라는 장점이 작용했다.

컨테이너 제조에 필요한 코르텐 강철은 총비용의 60%를 차지한다. 지난 10년간 미국의 강철 가격은 중국보다 평균 28% 높은 가격대를 형성했다. 또 지난해부터 미국의 철강 가격이 연이어 치솟았지만, 중국은 안정적인 가격 상승세를 보이며 제조에 힘을 실었다.

---

12) 조선업, 한번쯤은 정리가 필요한 중국의 조선산업, 삼성증권, 2019.10.01
13) 주요 주간 동향 리스트, KMI 중국연구센터 동향&뉴스, 2021.04

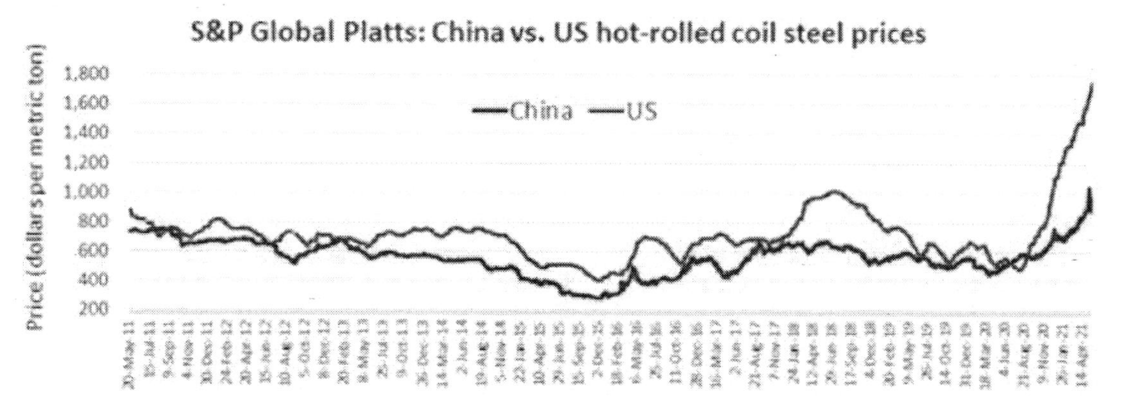


[그림 49] 지난 10년간 중국과 미국의 철강 가격

또 다른 요인은 내수 시장이다. 중국은 컨테이너 생산 대국이자 소비 대국이다. 막대한 대외무역이 해운을 호황 시키고 컨테이너 수요를 자극했다. 중국 관세청에 따르면 2020년 중국 수출입 무역 총액은 32조 1400억 위안으로 전년 대비 1.9% 증가했다. 무역 흑자는 3조 7,000억 위안으로 확대됐다. 수출입의 증가로 지난해 중국 컨테이너 화물 물동량은 2조 6,430만TEU로 크게 성장했다.

중국 컨테이너 산업 협회에 따르면 중국의 컨테이너 생산 및 판매는 25년 연속 세계 1위를 차지하고 있다. 2021년 중국의 항만 컨테이너 물동량은 전년 대비 6.5% 늘어날 것으로 예상되며, 기저효과의 영향으로 올해 상반기에 두 자릿수의 성장을, 하반기에는 점차 안정세로 들어서는 추세를 보일 것으로 예상된다.[14]

산업의 질적 측면을 설명하는 선종구성(product mix)에서는 아직 한국이 앞서 있는 상태이다. 중국조선산업의 주력은 여전히 기술적 난이도가 낮은 벌크선이다. DWT 기준으로 벌크선은 중국 수주잔고의 64%를 차지하고 있으며, 벌크선 다음으로는 유조선과 컨테이너선이 각각 17% 및 10%를 점유 중이다. 반면 고부가선으로 분류 되는 가스선의 비중은 2%에 불과하다.

중국의 수주잔고를 수주금액으로 분석할 경우 결론은 더욱 명확하다. 달러화 기준으로 벌크선은 중국 수주잔고의 26%를 차지한다. 수주량(DWT) 기준 대비, 비중이 낮은 것은 그만큼 벌크선의 단가가 높지 않기 때문이다.

한국의 수주잔고 분석 결과는 이와 반대이다. DWT기준으로 벌크선은 한국 전체 수주잔고의 11%에 불과하다. LNG은 이보다 높은 18%이다. 한국의 수주잔고를 달러화로 분석할 경우, LNG선의 비중은 36%로 상승한다.

시장 점유율 측면에서도 중국은 벌크선에서 세계 최고의 시장점유율을, 한국은 LNG선에서 세계 최고의 시장점유율을 기록하고 있다 (달러로 측정한 수주잔고 기준, 중국의 벌크선 시장 점유율은 58%, 한국의 LNG선 시장 점유율은 88% 수준이다).

14) "컨테이너 대란" 가장 빨리 빠져나온 中, 어떻게?, 김은수, ㄹ중앙일보, 2021.07.03

이러한 차이는 한국 조선산업이 중국보다 조선산업의 시장 집중도가 높기 때문이다. 조선산업은 세계적으로 지난 7년간 산업 구조조정을 경험했다. 이 과정에서, 저부가선을 건조하던 중견, 중소조선사들이 대거 수주 경쟁력을 상실하면서, 고부가선 위주의 사업구조를 가진 대형조선사들의 시장점유율이 급속히 확대된 것이다. 이로 인해 한국은 전체 조선산업의 규모에서는 중국에 뒤쳐졌지만, 산업 고도화 측면에서는 중국을 앞서게 되었다.

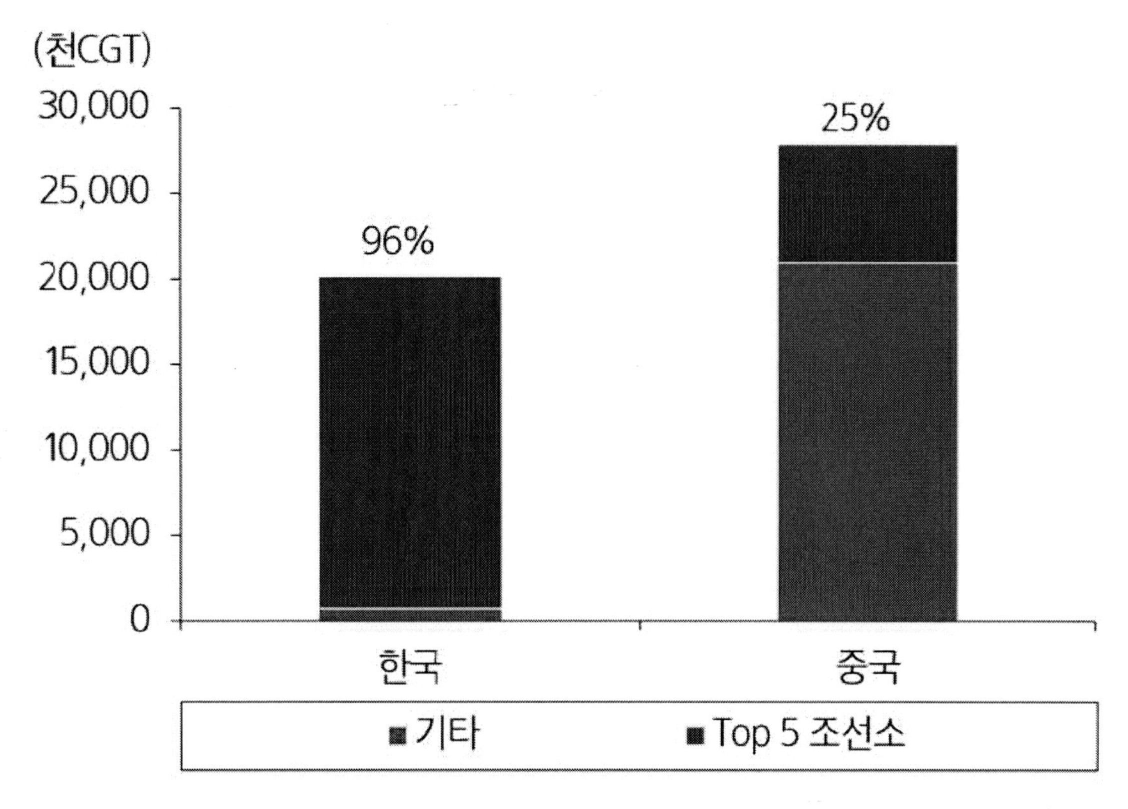


[그림 50] 한국과 중국 수주잔고에서 Top 5조선소의 비중

결국, 중국의 구조조정은 산업 고도화 측면에서는, 한국보다 효율적이지 못했다고 할 수 있다. 하지만 이것이 중국의 구조조정 강도가 느슨했다는 것을 의미하지는 않는다. 양적인 측면에서의 건조능력 감축은 한국과 그 강도가 유사하다. 다만, 지난 호황기에 중국이 대규모 투자를 집행하면서 당시 한국보다 다수의 조선사들이 설립 되었던 만큼, 산업의 집적화는 한국보다 빠를 수 없었던 것이다. 참고로 중국의 올해 예상 선박 인도량은 지난 고점 대비 52% 감소한 수준이며, 동기간 한국의 건조량은 49% 감소하였다.

중국 정부의 조선산업 지원도 이미 그 한계가 드러난 상황이다. 중국정부의 지원에 한계가 발생한 것은, 선박수요가 급감한 것도 있지만, 중국의 조선시장 점유율이 지나치게 높아졌기 때문으로 볼 수있다. 중국 정부가 현재 중국 조선산업 전체를 부양하기 위해서는, 중국이 전세계 선박 수요의 30%이상을 지속해서 창출할 수 있어야 하기 때문에, 결국 현실적으로 지속 가능한 정책은 아니라고 할 수 있다.

### (1) 중국 조선 산업 특징

#### (가) 양적인 측면의 우위

한국 조선산업이 향후 다시 양적인 측면에서 중국을 역전하는 것은 쉽지 않을것으로 보인다. 이는 중국 조선사들의 경쟁력 때문이라기 보다는, 한국조선산업의 구조조정과 이로 인한 사업구조 변화 때문이라고 할 수 있다. 2008년 금융위기 이후 상선 업황 둔화를 한국의 대형조선소들은 해양구조물과 가스선(특히 LNG선) 위주의 영업을 통해 극복해왔다. 이들은 또한 2014-2016년 유가급락에 따른 해양사업에서의 손실, 조선사들에 대한 금융기관의 자금 대여기피현상을 유상증자와 기업분할 등의 재무활동을 통해 극복했다. 반면 일반 상선건조에 특화된 한국 중견조선소들은 장기간에 걸친 수주부진과, 이로 인한 손익악화 그리고 자금조달의 어려움으로 수주경쟁력을 상실해 갔다.

즉, 한국에서는 지난 불황기에 대형사 위주로의 산업 재편이 급속하게 진행되었던 것이다. 참고로 과거 호황기에 한국의 신규수주에서 대형 5개사(현대중공업, 삼성중공업, 대우조선해양, 현대삼호중공업, 현대미포조선)가 차지하는 비중은 60% 수준이었다. 이는 중견 혹은 중소조선소 나머지 40%의 신규수주를 점유했음을 시사한다. 하지만 2018년에는 중견 혹은 중소조선소의 수주비중은 6% 수준으로 급감하였다(2019년 8월 누적은 2%). 반면 대형 5개사의 비중은 94%에 육박하게 되었다(2019년 8월 누적은 98%). 상당수의 한국 중견 조선소들이(STX조선, 성동조선해양, SPP조선, 한진중공업 등) 과거 호황기 전세계 20대 조선소에 포함되었던 업체였음을 감안하면, 이들이 조선시장에 복귀하지 않는 이상, 양적 지표로 한국이 중국을 이기는 것은 힘든 일이다. 그리고 현실적으로 한국 중견조선소들의 재기 가능성도 현재 업황에서는 쉽지 않은 상태이다.

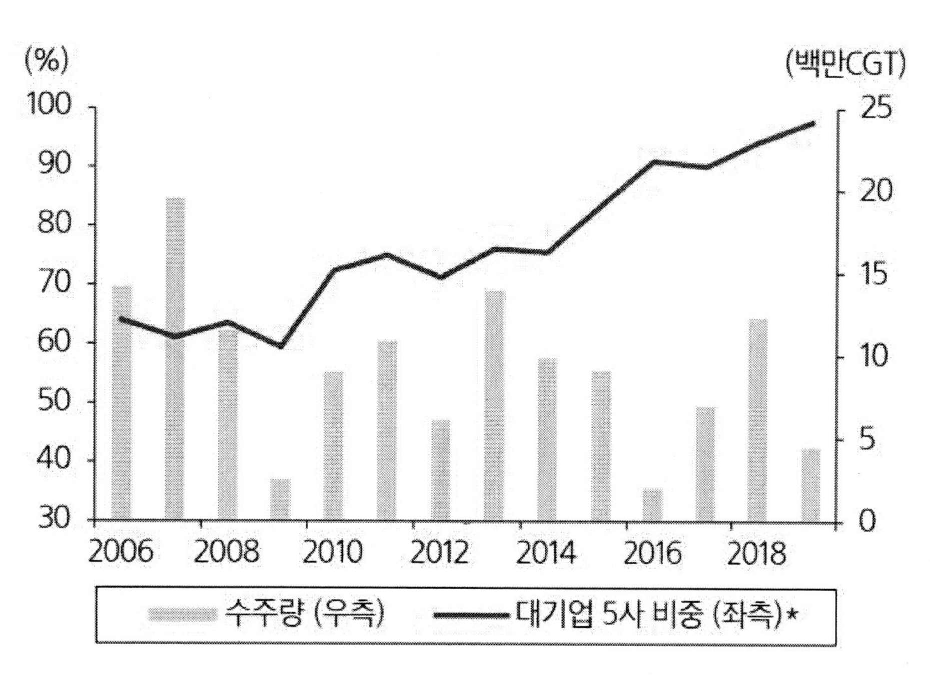


[그림 51] 한국전체 수주에서 대기업 5사가 차지하는 비중 추이
*대기업 5개사는 현대중공업, 삼성중공업, 대우조선해양, 현대미포조선, 현대삼호중공업을 의미. 2019년 수치는 8월 누적 수주 기준

이때, 한국 대형조선사들이 고부가선 위주의 영업을 추구하고 있다는 점도 주목할 필요가 있다. 고부가선 중에 상당수는 물리적인 크기 대비, 선가가 높은 선종이다. 예를 들어 174,000m3의 LNG선의 물리적인 크기는 85,700 CGT, 혹은 96,000 DWT로 측정된다. 중국의 주력인 Capezie벌크선은 일반적으로 31,000CGT, 혹은 180,000DWT이다. 즉 LNG선은 벌크선 대비 CGT로는 176% 크고, DWT기준으로는 47% 작은 선박이다.

반면 선가로는 LNG선은 벌크선 대비 264% 비싼 선박이다. 즉, 가격 차이대비 물리적인 차이는 크지 않은 것이다. 한국 대형사들의 고부가선 위주의 제품
구성을 감안하면, 더더욱 양적 지표로는 한국이 중국을 역전하기 어려운 상태라고 할 수 있다.

| 순위 | 개별조선소 기준 | 조선그룹 기준 |
| --- | --- | --- |
| 1 | 현대중공업 | 현대중공업그룹 |
| 2 | 삼성중공업 | 대우조선해양 |
| 3 | 대우조선해양 | 삼성중공업 |
| 4 | 현대미포조선 | STX조선해양 |
| 5 | STX조선 | Imabari S.B. |
| 6 | 현대삼호중공업 | Tsueneishi Corp. |
| 7 | Dalian Shipbld. Ind | Dalian Shipbld. Ind |
| 8 | Jiangnan Changxing | Jiangnan S/yard |
| 9 | 성동조선해양 | 성동조선 |
| 10 | Jiangsu Rong Sheng | 한진중공업 |
| 11 | Waigaoqiao S/Y | Universal S.B. |
| 12 | Oshima S.B.Co. | Changjiang Nat. Shpg |
| 13 | Hudong Zhonghua | New Century S/Y |
| 14 | Tsueneishi Zosen | Jiangsu Rongsheng |
| 15 | Jiangsu New YZJ | SPP조선 |
| 16 | SLS조선 | Jiangsu S.B. Group |
| 17 | Bohai shipbld. | Waigaoqiao S/Y |
| 18 | Jinling Shipyard | Oshima S.B.Co. |
| 19 | New Times S.B. | Hudong S/Yard |
| 20 | STX대련 | Sino-Pacific Group |

[표 9] 호황기(2008년) 전세계 top20 조선소/조선그룹
(참고: CGT로 산출한 수주잔고 기준)

### (나) 고부가선 건조경험의 부족

조선산업의 수주경쟁력은 이론적인 기술보다 실제 건조경험에 의해 좌우되는데, 아직 중국 내에서 고부가선 건조경험을 보유한 조선사는 소수에 불과해, 고부가선에서 한국의 시장지배력은 당분간 유지될 것으로 전망된다. 중국은 전세계 선박의 30% 이상을 무려 10년간 건조해왔기 때문에, 상선 전반에 대해서, 중국의 수주경쟁력을 의심할 이유는 없다. 특히 벌크선, 유조선, 그리고 컨테이너선에서의 경쟁력은 이미 세계적인 수준이다. 반면 LNG선, LPG선, 초대형 컨테이너선, 그리고 대형 해양구조물에서의 시장 점유율은 아직 미진한 상태이다.

수주잔고를 기준으로 한국은 가스선 부문에서 79%의 시장점유율을 보유하고 있는 반면 중국의 시장점유율은 13% 수준에 그쳤다. 가스선 중에서도 대상을 LNG선으로 좁혀보면, 한국과 중국의 시장점유율은 각각 85%, 11% 수준이다. 특히 대형(17만m3)이상의 LNG선은 현재 한국이 91%의 점유율로 사실상 시장을 독식하고 있는 상태이다(중국은 7%). 컨테이너선에서의 시장점유율은 한국과 중국이 각각 38%, 36% 수준으로 유사하지만 대상을 18,000TEU급 이상의 초대형선으로 한정하면 한국의 시장 점유율은 55%, 중국은 27%의 수준이다.

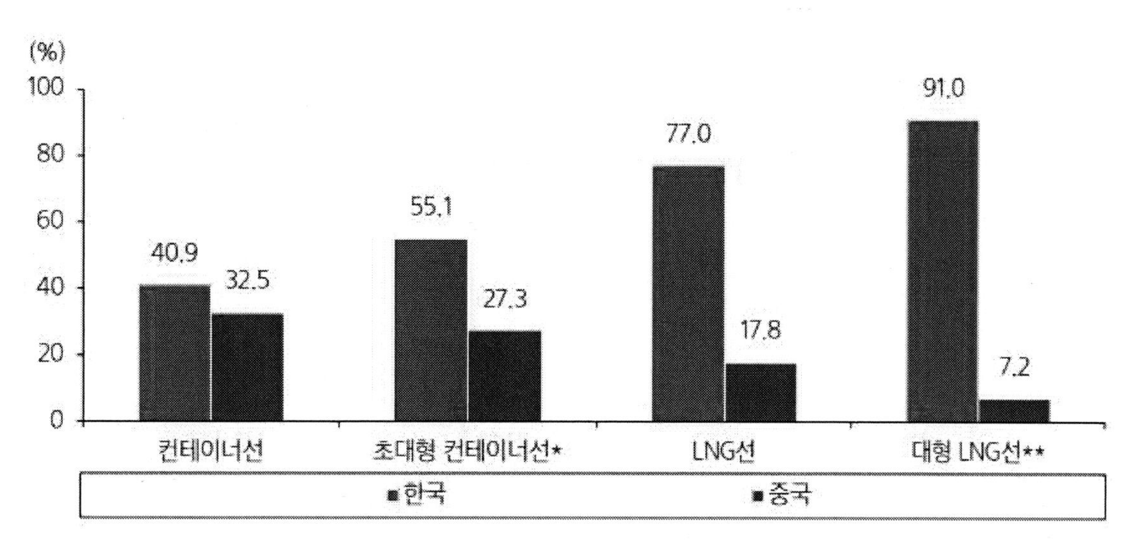


[그림 52] 고부가선 + 대형선박 내에서 한국과 중국의 시장 점유율 비교 (수주잔고 기준)
참고: 컨테이너선은 TEU, LNG선은 척수 기준 점유율
* 18,000TEU급 이상 ** 170,000cbm 이상을 대상으로 산출

또한, 건조경험을 보유한 조선사도 많지 않다. 수주잔고가 아닌, 현재 운항 중인 모든 대형 LNG선 중에 중국 조선사가 건조한 선박은 총 14척이며, 전량 Hudong Zhonghua 한 곳에서 건조되었다. 즉, 건조 경험을 보유한 중국 조선소는 아직 한 곳에 불과한 것이다.

18,000TEU급 컨테이너선도 현재까지 건조된 모든 선박을 대상으로 분석하면, 중국의 시장 점유율은 15% 수준이며 건조경험을 보유한 조선소는 다섯 개 회사이다. 참고로 해당 다섯 개 조선소 중 두 곳은 일본 가와사키 중공업과의 합자 회사이다.

| 160,000cbm 이상 LNG선 | 건조경험 |
|---|---|
| Hudong Zhonghua | ○ |
| SCS Shipbuilding | |
| **18,000TEU 이상 컨테이너선** | **건조경험** |
| SCS Shipbuilding | |
| Jiangnan SY Group | ○ |
| Jiangnan Changxing | ○ |
| Dalian Shipbuilding | ○ |
| Shanghai Waigaoqiao | ○ |
| Dalian COSCO KHI | ○ |
| Nantong COSCO KHI | ○ |

[표 10] 대형 LNG선 및 초대형 컨테이너선에서 건조 경험을 보유한 중국 조선소

중국에서도 최근 LNG선, 대형컨테이너선, 그리고 대형 해양구조물로의 선종구성을 확대해가는 대형조선사가 증가하는 추세지만, 여전히 그 숫자는 아직 소수에 불과하고, 성공 가능성을 확신하기도 어렵다. 또한 이들이 선종 다변화에 성공하더라도, 해당 시장에 안착하는 데에는 상당한 시일이 소요될 수 밖에 없다. 조선업종은 건조 경험이 수주 경쟁 력을 좌우하기 때문에, 30년 이상 사용해야 하는 고가의 내구재인 선박을 건조 경험이 없는 조선사에게 발주하는 것은, 선주 입장에서는 상당한 모험을 수반한다.

조선사가 낮은 가격을 제시하더라도, 선주들은 경험없는 조선사들 기피하기 마련이다. 그래서 새로운 선종에 진입하려는 후발 조선사들은 일반적으로 자국 선주사(주로 국영회사)로부터 최초 수주를 확보한다. 그리고 해당 최초 수주를 무사히 인도하고, 인도된 선박이 운항을 통해 안정성을 인정받으면 비로소 해외 선주로부터 신규수주가 가능하다.

## 나) 일본[15)]

일본의 조선업계는 한국과 달리 다수의 중소 조선사들이 시장을 움직여왔다. 이는 규모의 경제나 자본력 측면에서 불리함을 야기할 뿐만 아니라 대형선박이 선호되는 최근 시장 추세에 부합되지 않는다. 발주물량 대부분이 내수시장, 특히 조선업 지원을 위한 인위적 지원물량으로 버텨왔다는 점도 한계를 나타내는 원인이라고 할 수 있다.

또한 일본은 체질개선을 위한 여러 시도에서 성공적인 모습을 보이지 못했다. 우선 한국과 유사하게 해양플랜트 중심으로 포트폴리오 변화를 시도했다가 우리나라와 마찬가지로 대규모 손실을 경험했다.

일본은 한때 글로벌 수주 1위 조선 강국이었다. 그러나 한국과 중국과의 경쟁에 밀리면서 지금은 시장 지위가 크게 떨어진 상태다. 클락슨 리서치에 따르면, 일본의 세계 시장 점유율은 2015년 28%에서 2020년 7.1%로 하락했다. 같은 기간 한국은 30%에서 42.5%로, 중국은 28%에서 41.2%로 확대됐다. 2021년 1~4월 누계 수주량만 봐도 중국이 46%로 1위, 뒤이어 한국이 44%, 일본이 7%를 기록하고 있다.

최근 일본 조선업계는 정부 지원을 바탕으로 부흥을 추진하고 있다. 2020년에도 일본 정부는 자국 조선소에 수백억엔 규모의 금융지원에 나서겠다고 발표하고 컨테이너선이나 유조선 등을 운영하는 해운회사가 해외에 설립한 특수목적회사(SPC)를 통해 일본 조선업체 선박을 구매하도록 금융지원을 하기로 했다.

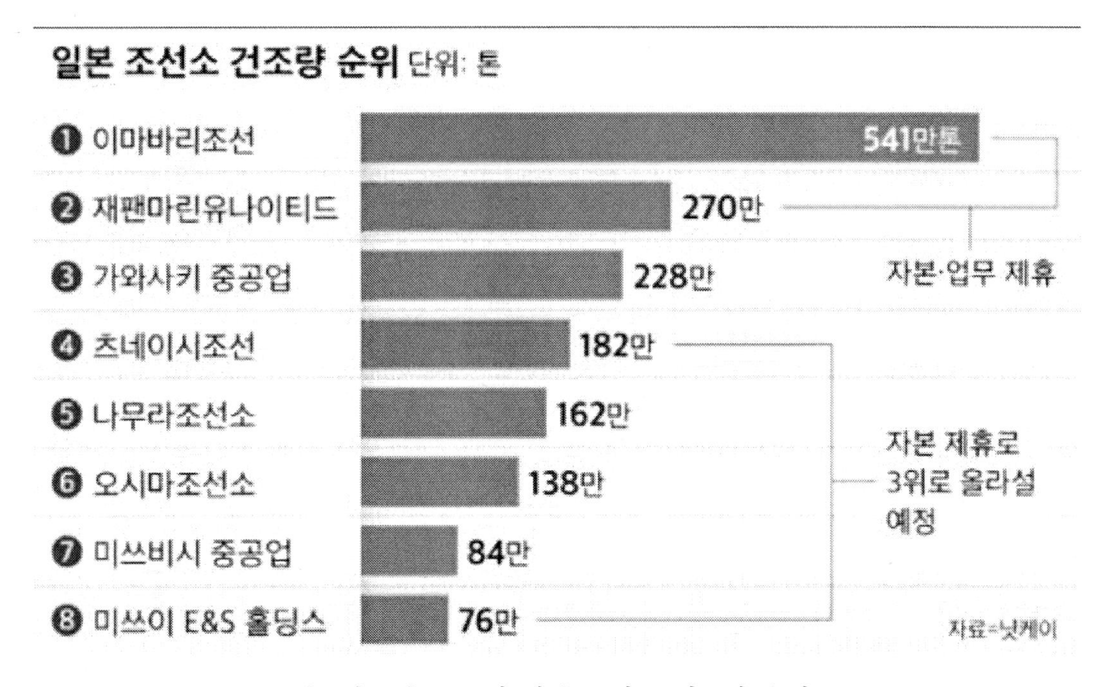


[그림 53] 2019년 일본 조선소 건조량 순위

15) 2019년 상반기: 성장국면 초입 매크로는 잊어라!, NH투자증권, 2019.01.11

일본 대형 조선소들의 움직임도 심상치 않다. 2021년 1월 일본 조선사인 이마바리조선과 2위인 재팬마린유나이티드(JMU)는 합작회사 '니혼십야드(NSY)'를 발족했다. 4위 츠네이시 조선소와 8위 미쓰이E&S조선도 2021년 10월까지 합자회사를 출자한다는 계획이다. 가와사키중공업과 얀마파워테크놀로지, J-ENG 등은 선박용 수소 연료 전지 개발을 위한 컨소시엄을 구성하고 오는 2025년까지 개발을 완료하겠다는 계획이다. 서로 경쟁하는 대신 인력과 설비를 공유하면서 중복 투자를 피하고 기술 경쟁력을 키워 한국과 중국에 대항하겠다는 것이다.

국내 조선업계 내부에선 일본이 한국에 비해 시장 점유율은 한참 아래에 있지만, 정부 지원을 등에 업고 한국과의 격차를 빠르게 좁혀오고 있는 만큼 경계심을 풀어선 안 된다는 목소리가 나온다. 거제의 한 조선기자재업체 고위 관계자는 "세계적으로 이슈가 되고 있는 친환경 선박 엔진 등 다양한 기술 개발을 앞세운다면 10년 뒤를 장담하기 어렵다"고 말했다. 실제 수소를 암모니아나 유기화합물, 액체수소 형태로 바꿔 선박을 통해 수송하는 기술은 한국보다 일본이 앞서있다는 게 업계 설명이다.[16)]

16) 조선업 '만년 3위' 일본… 정부 지원으로 韓·中 맹추격, 김우영, 조선비즈, 2021.05.17

# 04

## 국내 조선시장 동향

# 4. 국내 조선시장 동향[17)]

한국 역시 코로나19 팬데믹 영향 등으로 2020년 수주가 크게 감소하였으나 4분기 수주량이 크게 증가하며 2021년 시장에 대한 기대감을 높였다. 한국은 LNG선, 대형 컨테이너선, 유조선 등의 대량 수주로 연간 전체 수주량의 6%를 4분기 중 수주하며 매우 활발한 수주활동을 보였다.

한국의 2020년 수주량은 전년 동기대비 16.5% 감소한 819만 CGT였다. 한국의 4분기 수주량은 전년 동기대비 35.4% 증가한 511만CGT이며, 이는 분기 실적으로 에코십 붐이 있었던 2013년 이후 최대 수주량이다. 한국의 2020년 수주액은 19.9% 감소한 182.8억달러를 기록했다. 4분기 수주액은 전년 동기대비 27.4% 증가한 112.0억 달러였다.

한국의 4분기 수주량은 중국의 동 기간 수주량 272만CGT를 압도하는 물량으로 환경규제 강화에 따른 한국의 상대적 선호도가 높아진 영향이 일부 반영된 것으로 추정된다. 4분기 한국 수주 확대는 LNG선 등 한국의 독점적 선종이 포함된 영향이 있으나 향후 온실가스 배출권거래제 등 더욱 강경해지는 환경규제로 한국의 높은 제품경쟁력이 중국의 저가 및 금융공세 등의 경쟁력보다 우위를 점한 영향도 반영된 것으로 보인다.

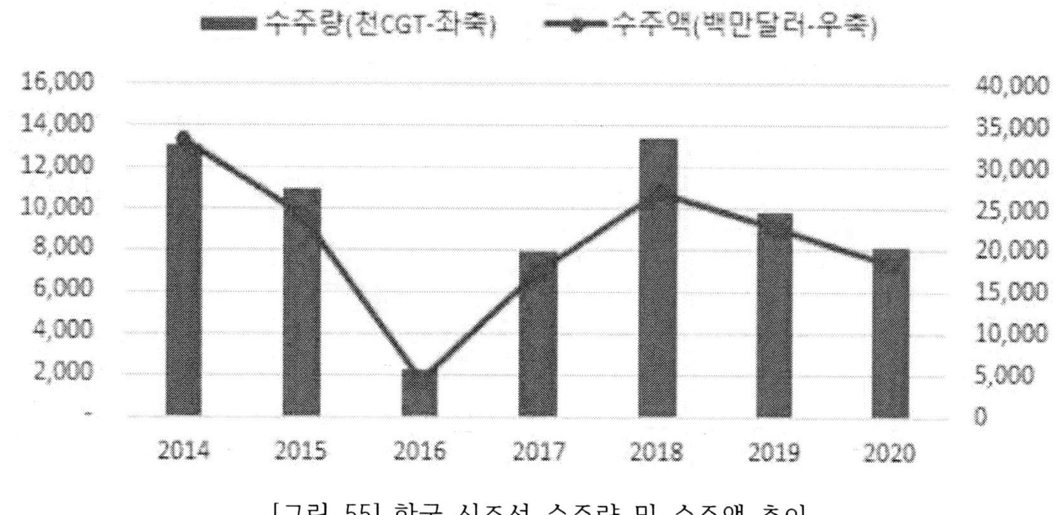


[그림 55] 한국 신조선 수주량 및 수주액 추이

2020년 중 유조선의 수주만 전년 대비 10.5% 증가하였으며 컨테이너선 3.1%, LNG선 25.6%, 제품운반선 2.8%, LPG선 47.2% 각각 감소했으며, 벌크선의 수주는 없었다. 코로나19 영향 등으로 수주가 저조한 상황에서도 LNG선은 전체 수주량의 38% 수준으로, 여전히 가장 중요한 선종으로서의 위치를 유지했다.

17) 해운·조선업 2020년 동향 및 2021년 전망, 한국수출입은행, 2021.01.28

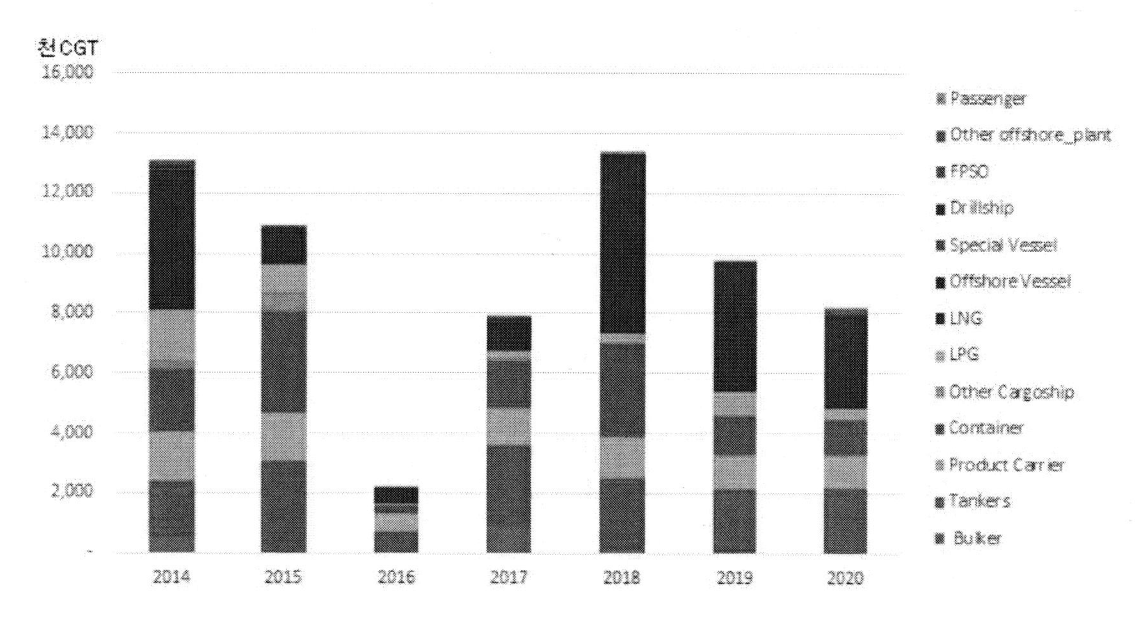


[그림 56] 한국 조선업 선종별 수주량 추이

한국의 2020년 건조량은 전년 대비 7.8% 감소한 880만CGT였다. 연초 팬데믹 초기 상황에서 중국으로부터의 블록조달 차질 등 일부 생산 차질이 있었으며, 방역지침 등으로 제조활동을 크게 늘리기 어려워 이를 보완하지 못한 영향이 있는 것으로 추정된다.

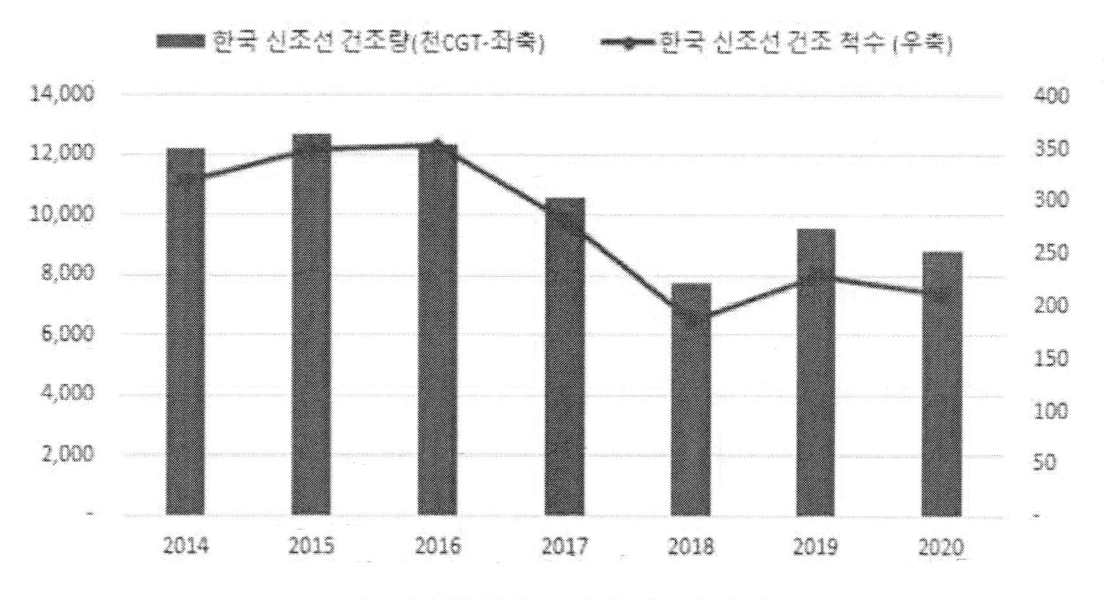


[그림 57] 한국 조선업 건조량 추이

2020년 말 수주잔량은 2,216만CGT로 전년말 대비 4.7% 감소했다. 부진한 수주 상황에도 건조량도 다소 부진하여 수주 잔량은 소폭 감소에 그쳤다. 수주잔량은 9월말 1,871만CGT 수준까지 감소한 바 있으나 4분기 대량 수주로 다시 증가한 것은 긍정적이다.

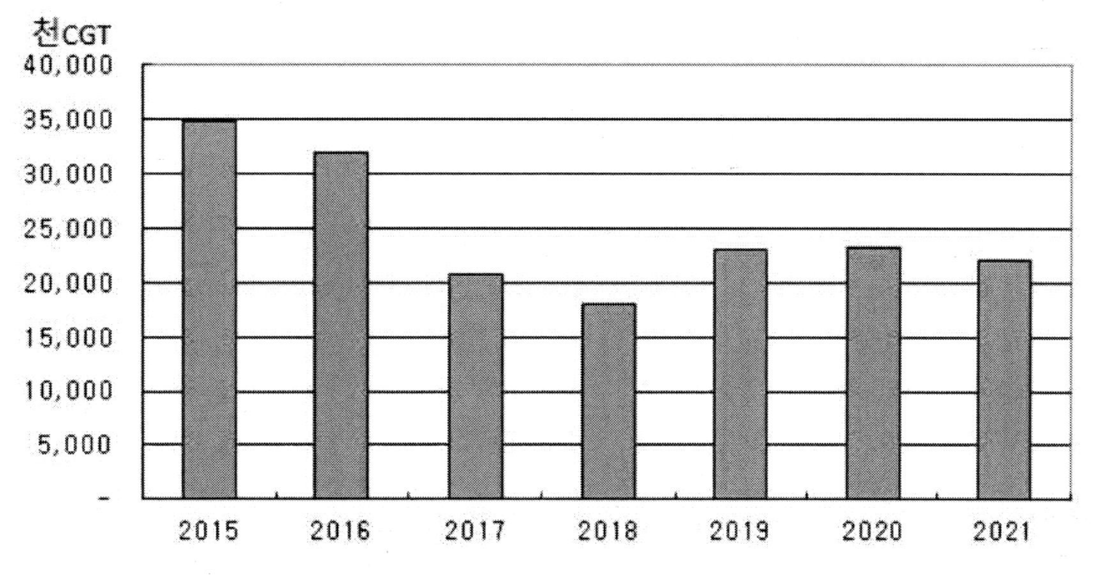


[그림 58] 한국 조선업 수주잔량 추이

# 05

## 조선산업 기업동향

# 5. 조선산업 기업동향

## 가. 중국

중국 조선산업은 크게 소유 형태와 시장지배력으로 분류해볼 수 있다.

**① 소유 형태**

소유 형태는 중국 조선산업을 분류하는 가장 전통적인 기준으로, 중국 중앙정부 소유, 지방정부 소유, 민자 독립계 조선소, 외국인 합자회사, 외국인 소유 업체로 분류할 수 있다. 과거 정부소유 조선사들의 생존가능성이 높았으나, 현재까지 생존에 성공한 민영 조선사들의 경쟁력에 의문을 표시하기 어렵기 때문에 현 시점에서 중국조선업체들을 단순히 소유형태로 분류하는 것은 큰 의미가 없다고 할 수 있다.

**② 시장 지배력**

시장 지배력은 중국 내 업체들을 분류하는 가장 합리적인 기준으로, 중국 및 글로벌 선박 시장에서 의미 있는 시장점유율을 보유하고 있거나, 혹은 고부가선으로의 진출 가능성이 있거나, 아니면 최근 구조적 변화가 있어 업데이트가 필요한 업체를 기준으로 분석 대상을 정할 필요가 있다.

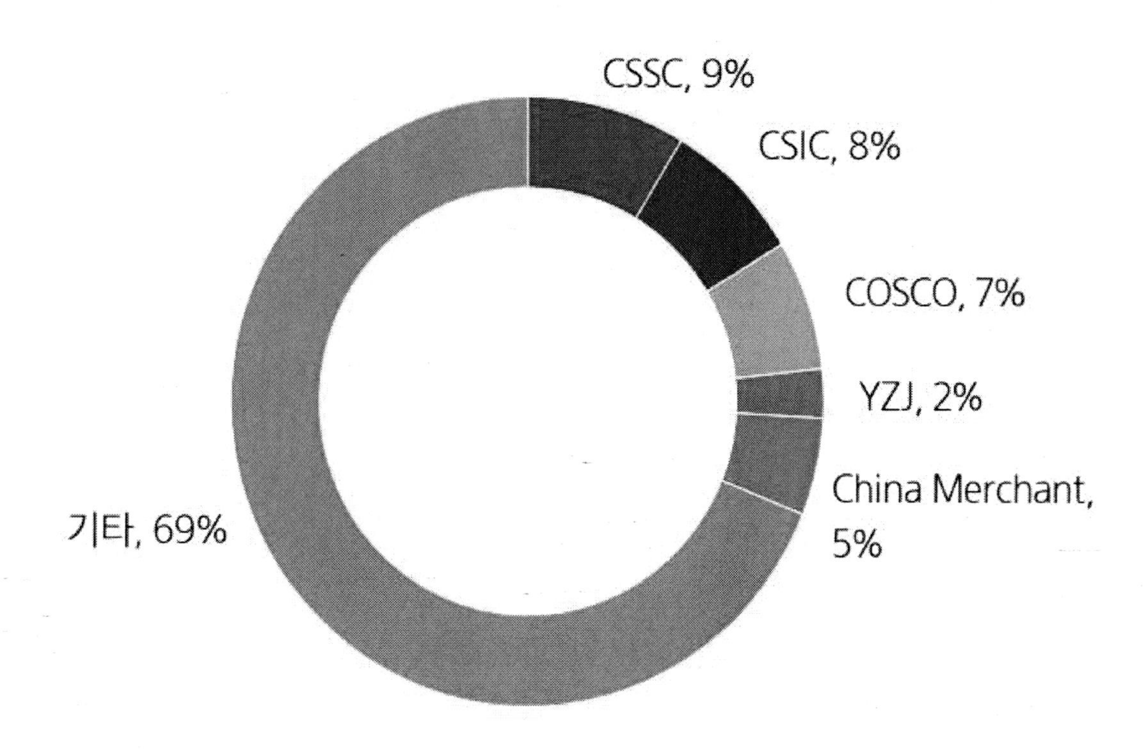


[그림 60] 보유 야드 수 기준, 중국 핵심 조선소의 시장 지배력

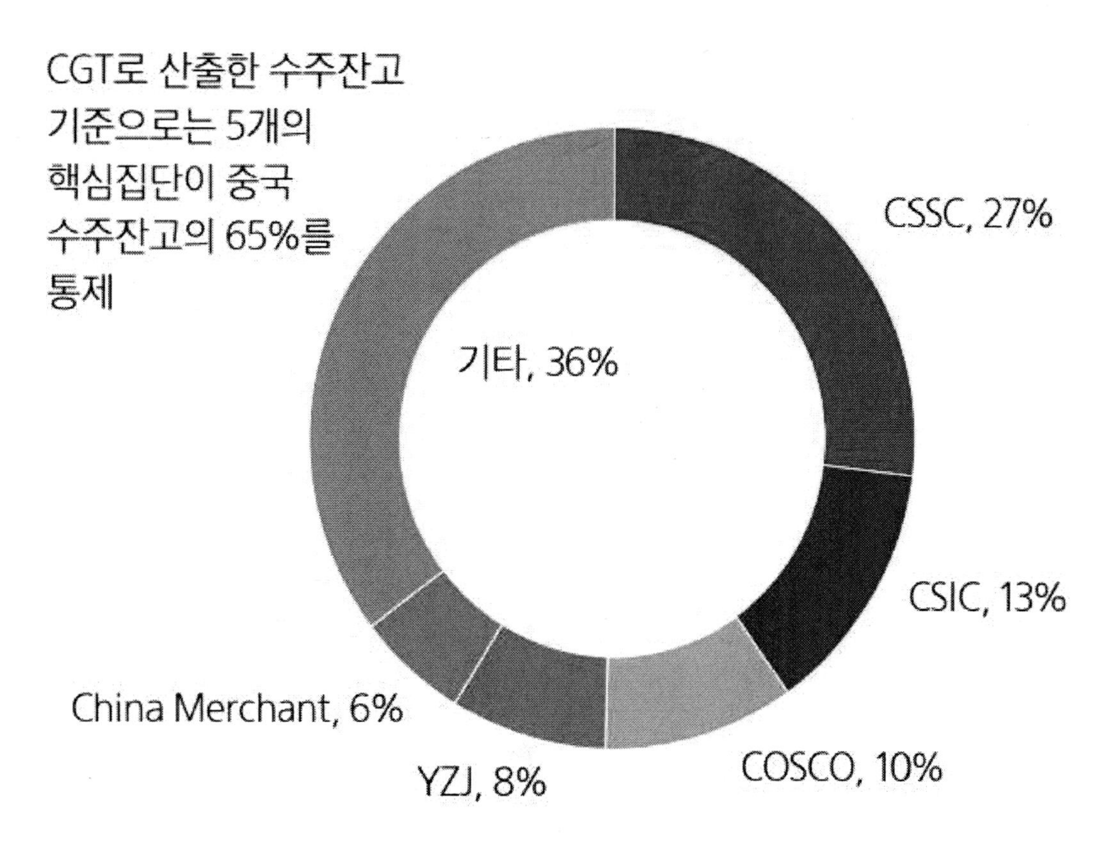


[그림 61] 보유 수주잔고 기준, 중국 핵심 조선소의 중국시장 지배력

1) CSSC

[그림 62] CSSC

CSSC그룹은 상선분야에서는 중국 내에서 가장 영향력 있는 집단으로 중국 10대 조선그룹 중 4개가 CSSC소속이며, 개별 조선소 기준 중국 10대 업체 중 5개가 CSSC소속이다.

| 순위 | 조선소명 | 소속 | 중국시장 점유율(%) |
|---|---|---|---|
| 1 | SWS | CSSC | 6.3 |
| 2 | New Times SB | 독립계 | 5.2 |
| 3 | Jiangnan SY Group | CSSC | 4.9 |
| 4 | Jiangsu New YZJ | 독립계 | 4.5 |
| 5 | GSI Nansha | CSSC | 4.1 |
| 6 | SCS Shipbuilding | CSSC | 3.7 |
| 7 | Huangpu Wenchong | CSSC | 3.7 |
| 8 | Yangzi Xingfu SB | 독립계 | 3.3 |
| 9 | COSCO Heavy(Yangzhou) | 정부소유 | 3.2 |
| 10 | Beihai Shipyard | CSIC | 3.2 |

[표 11] 중국 10위 조선소 현황 (개별 야드 단위 기준)

① SWS

SWS는 단일 조선소로는 중국 내 최대 규모인 동시에, 전세계 10대 조선소 중 하나이다. SWS는 본업인 선박건조 외에도 해양(SWS Offshore), 선박설계(SWS Engineering), 기자재 제작(Shanghai CSSC Marine Bolier)을 주력으로하는 비조선 자회사를 다수 보유하고 있다.

SWS의 주력선종은 벌크선으로, 건조한 선박의 66%가 벌크선이다. 그렇다고 다른 선박을 건조한 경력이 없는 것은 아니다. 주력이 벌크선일 뿐, SWS는 컨테이너선, 유조선, 해양지원선, LPG선, 해양구조물, 그리고 크루즈선에 이르기까지 다양한 선박을 건조했거나 수주한 조선사이다. 특히, 높은 기술력을 필요로 하는 프로젝트들을 다수 수행하거나 수주했으며, 벌크선과 유조선 부문에서도 초대형광탄선(VLOC), VLOC 등을 건조한 바 있고, LNG이중연료를 사용하는 2만TEU급 컨테이너선도 수주한 바 있다.

② GSI

GSI의 주력 선종은 유조선이다. 특히 유조선 중에서도 원유운반선보다는 석유화학제품 운반선을 주력으로 하고 있어, 국내 현대미포조선과 경쟁관계에 있다. 과거 중형 석유제품운반선 시장을 주도했던 국내업체들(SPP조선, STX조선해양)의 수주경쟁력이 현격히 저하되었고, 전 세계적으로 중형선박 건조에 특화된 조선소가 소수에 불과하다는 점에서, GSI의 사업구조는 향후 석유화학제품 운반선 시장 회복 시 유리하게 작용할 수 있을 것으로 전망된다.

③ Jiangnan Shipyard

Jiangnan Shipyard 그룹은 초대형컨테이너선 부문에서 한국업체들과 경쟁할 가능성이 있는 업체로, 사실 단순 규모 측면에서도 전세계 20위의 조선그룹에 해당한다. 컨테이너선은 Jiangnan 그룹 수주잔고의 62%를 차지하며, 주로 자회사인 Shanghai Jiangnan Changxing Heavy(이하 SCH)를 통해 건조되고 있다. 이때, 컨테이너선 수주잔고에는 초대형 선박이 포함되어 있다

④ Hudong Zhonghua

중국에서 LNG선 건조 경험을 보유한 업체는 극소수에 불과한데, 이중에서도 대부분은 현재 한국 대형사가 주력으로 하는 대형 LNG선과는 다른 종류의 중소형 선박을 건조해본 경험만을 가지고 있다. Hudong Zhonghua는 중국에서 대형 LNG선을 건조해본 유일한 조선소로, 자회사인 Shanghai Jiangnan Changxing Shipbuilding(SCS)도 대형 LNG선과 초대형 컨테이너선을 주력으로 한다.

최근 SCCS는 28억 달러를 투자해 상하이 창싱도에 최신 조선소를 건설한다고 발표했다. CSSC는 새로운 조선소는 상하이의 조선업을 최첨단으로 이행시킬 것이라고 밝혔다. 조선소 건설에는 선박 등 조선 관련 연구개발(R&D)과 설계, 건설시설 등이 포함된다. 조선소는 선체 조인트 작업장, 곡선 섹션 어셈블리 및 용접 작업장, 아웃핏 모듈 센터, 도장 작업장, 실내 도크, 노천 도크, 항만 유역 및 아웃핏 부두를 조성한다. 100에이커가 넘는 규모의 새 조선소는 2023년 완공 예정이며 연간 6척의 특수 선박을 건조하게 된다. CSSC의 첫 번째 조선소인 장난 조선소는 2008년에 이 섬으로 이전했다.[18)]

또한 2021년 4월 세계 2위 컨테이너선사인 MSC는 CSSC에 16,000TEU급 컨테이너선 13척을 발주했다. 해당 선박은 LNG Ready선이며 총 계약규모는 16.3억달러다. 척 당 선가는 1.5억달러수준이며 납기는 2023~24년이다.[19)]

18) [글로벌-Biz 24] 중국선박공업그룹(CSSC), 상하이 창싱도에 새 조선소 착공, 조민성, 글로벌이코노믹, 2021.01.08

19) MSC, 중국 국영조선소 CSSC에 16,000TEU급 컨선 13척 발주, 쉬핑뉴스넷, 2021.04.06

2) China COSCO

[그림 63] China COSCO

China COSCO는 제조업이(조선업) 아닌, 해운산업을 주력으로 하는 기업으로, China COSCO의 최상위 지배회사인 China COSCO Shipping은 2016년에 COSCO와 China Shipping이 합병되면서 탄생하였다. 2016년 합병 당시 그룹이 공개한 사업계획은 일명 '6+1 클러스터 전략'으로, COSCO 와 China Shipping 이 가진 자산과 자원을 통합하여, 6 개로 구분된 사업영역에 집중하여 경쟁력을 강화한다는 전략이었다.

6+1 클러스터는 1)해운(국내, 국제), 2)선박금융, 3)선박관리, 4)물류운송, 5)조선 및 기자재 제작, 6)사회공헌 그리고 7)기존 사업과 연계된 IT 서비스 사업으로, 6+1 클러스터의 대부분이 해운산업을 지원(선박금융, 선박관리, 기자재 제작)하거나, 연관된 파생(물류 운송)산업이다.

China COSCO의 핵심 조선소는 COSCO Heavy (Dalian), COSCO Heavy (Guangdong), COSCO Heavy (Qidong), COSCO Heavy (Yangzhou), COSCO Heavy (Zhoushan), 그리고 일본의 Kawasaki 중공업과 합자회사인 Nantong COSCO KHI, Dalian COSCO KHI가 있다. 보유 조선소 중에서도, 핵심 업체는 일본과의 합작사인 Nantong COSCO KHI 와 Dalian COSCO KHI로, 대부분의 고부가 선종이 여기에서 건조되었으며, Dalian COSCO KHI를 중심으로 대형 LNG 선 시장 진출을 시도 중이다. 또한, Dalian COSCO KHI는 최근 LNG 선 건조를 위한 신규 도크를 완성한 바 있다.

최근 Cosco Shipping Holdings와 OOCL이 네오파나막스급 컨테이너선 최대 25척, 30억 달러 이상을 발주하기 위해 중국 조선사들과 상담을 진행했다. 이는 중국의 자국 조선소 물량 몰아주기로, 업계 소식통들에 따르면 이 중 1만 3000TEU급 '6+4척'은 Cosco Shipping Lines가 발주하고, 나머지 1AKS 5000TEU급 15척은 계열사인 홍콩의 OOCL이 발주할 예정이다. Cosco Shipping은 당초 LNG와 전통연료를 선택적으로 사용할 수 있는 이중추진 선박을 발주할 계획이었으나 방침을 바꾸어 스크러버가 장착되는 기존 연료 추진선을 발주하기로 했다.또한 발주 선박 사이즈도 1만 5000TEU급으로 올리기로 하고 현재 이사회의 승인을 기다리고 있다.[20]

20) 中 Cosco, 30억 달러짜리 '빅' 컨선 발주 채비…"자국 조선소 몰아주기", 황정희, 북극항로, 2021.04.08

### 3) Yangzijiang Shipbuilding (YZJSGD SP)

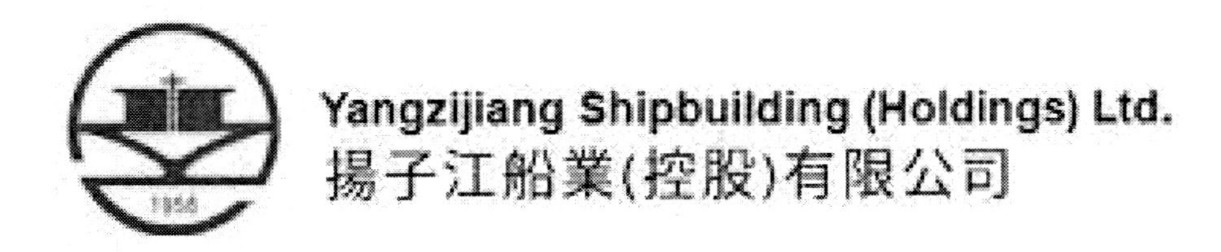


[그림 64] Yangzijiang Shipbuilding

Yangzijiang Shipbuilding은 1956년에 수리조선소로 영업을 시작하여, 중국 내 최대 규모의 민영 조선소로 성장하였고, 더 나아가 중국뿐 아니라, 전세계 조선산업에서도 8번째로 큰 대형조선 그룹(수주잔고 기준)이 되었다. 그룹의 사업 영역도 신규선박 및 해양 플랜트 건조뿐만 아니라 부동산, 해운, 조선기자재, 금융사업을 아우를 정도 다양한 편이다.

Yangzijiang Shipbuilding의 주력선종은 벌크선으로, 벌크선은 Yangzijiang Shipbuilding 수주잔고의 51%를 점유하고 있다. 벌크선 다음으로는 컨테이너선이 31%의 비중을 차지하고 있다. 컨테이너선 수주잔고의 대부분은 소형 선박이지만, 13,000TEU급 대형선박 수주잔고 역시 보유 중이다. 회사 측은 컨테이너선과 벌크선을 기반으로 안정적인 수익성을 유지하면서, 동시에 고부가선인 LNG선으로 진출한다는 전략을 추진 중이다. 이를 위해 Mitsui그룹(Mitsui E&S Shipbuilding, Mitsui & Co, Ltd)과 2018년에 합자회사를 설립한 바 있다.

최근 중국 양즈장조선(Yangzijiang Shipbuilding)이 처음으로 이중추진(dual-fuel) LPG운반선을 수주했다. 업계에 따르면 양즈장조선이 이번에 수주한 LPG선은 크기가 4만 cbm급의 중형이고 척수도 3척에 불과하지만 양즈장조선이 수주한 첫 이중추진 LPG선이라는 점에 의미가 있다.

한편 양즈장조선은 이 외에도 이번에 1만 1800TEU급 컨테이너선 2척, 3500TEU급 파나막스 컨테이너선 5척, 2400TEU급 피더 컨테이너선 2척, 2만 9800dwt급 자동하역 벌크선 1척, 9150dwt급 케미컬 탱커 1척을 무더기로 수주했다. 양즈장조선이 이번에 수주한 선박은 모두 14척이며 전체 선가는 7억 1500만 달러에 달한다. 양즈장조선은 이번 수주 선박을 포함해 올해 들어 지금까지 총 89척, 47억 2000만 달러를 수주했다.[21]

21) 中 양즈장조선, 첫 이중추진 LPG선 수주…"친환경선박 경쟁력 강화", 황정희, 북극항로, 2021.06.24

## 나. 일본

### 1) Nippon Yusen Kaisha

Nippon Yusen Kaisha(이하 니폰유센)는 1855년 설립된 일본의 3대 해운회사 중 하나로, 일본 자국과 해외를 합쳐 350개 이상의 도시 항구에 755척의 선박을 운영하고 있다. 니폰유센의 매출액은 2012년 1조 8,078억 엔을 기록한 이후 연평균 9.9% 수준의 증가율을 보이며 2015년에는 2조 4,018억 엔을 기록했다. 특히 2014년 4월부터 시작한 5개년 계획 '2018년 해운을 넘어 : 창조적인 해결책을 활용하여'를 세운 첫 해 2014년은 전년 대비 17.9%의 매출 증가를 달성했다.

하지만 이후 벌크시황이 침체되면서 매출액이 급감하기 시작하여 2017년 매출액은 1조 9,239억 엔까지 하락했으며, 영업이익률도 -0.9%로 적자를 기록했다. 이에 따라 니폰유센은 중기 경영계획의 재정목표를 빠르게 포기하고 사업을 구조조정하기 시작했으며, 비상 계획을 세우기 시작했다. 니폰유센은 2016년부터 약 2년간 비용절감 및 경영개선을 위해 사업포트폴리오를 재정비하고, 변동성이 높은 사업에서 자산경량 사업모델로 전환했으며, 기존의 화물운송 서비스를 넘어서는 차별화된 서비스를 제공하기 시작했다. 이와같은 노력의 결과로 니폰유센의 2018년 매출액은 2조 1,832억 엔으로 전년 대비 13.5% 증가하였으며, 영업이익률도 흑자전환에 성공했다.

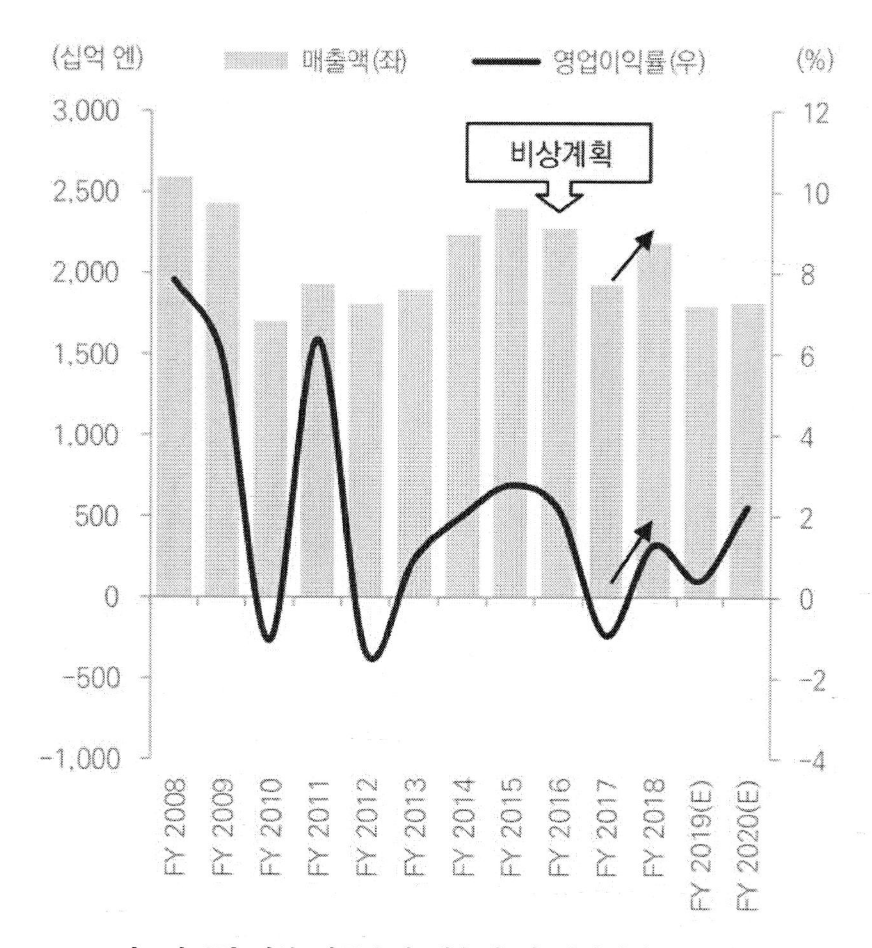


[그림 65] 일본 니폰유센 매출액 및 영업이익률 추이

2018년 3월 니폰유센은 격변하는 해운 환경에 효과적으로 대처하기 위해 2022년까지의 새로운 중기 경영계획을 발표했다. 새로운 기본목표의 핵심은 '디지털화와 그린'으로 화물운송을 넘어서 태양광발전과 풍력발전, 조력발전 등과 같은 새로운 녹색사업을 출범시키고 디지털 기술을 각 사업에 선도적으로 적용하는 것을 목표로 하고 있다.

특히, 니폰유센은 일찍부터 해운산업의 디지털 트랜스포메이션을 촉진해 왔다. 이미 2000년대 후반부터 1세대 선박정보관리 시스템(SIMS)을 구축해왔으며 2011년부터는 2세대 SIMS를 개발하기 시작하며 빅데이터를 수집 및 활용하기 시작했다. 선박 운송을 하는 전 과정으로부터 데이터를 수집하고, 해양과 육지운항 전반에 걸쳐 공유하고 있다. 이와 같은 빅데이터를 활용하여 선박 배치와 운항의 효율성을 높이기 위한 다양한 기술을 개발하고 있으며, 선박 설계와 수정을 위한 기술도 개발하고 있다. 니폰유센은 이미 상당한 양의 데이터를 축적했으며, 딥러닝을 통해 분석 기술의 예측력이 향상되었기 때문에, 사고나 다양한 장비 문제를 예방하기 위해 그동안 축적된 데이터를 활용하기 시작했다.

데이터를 활용한 혁신은 앞으로 해운산업에서 각광받고 있는 무인자율선박에도 기여를 하고 있다. 니폰유센은 2019년 일본에서 북미까지 태평양을 가로지르는 원격조종 선박 시험운항에 나설 계획이다. 이에 따라 레이더 제조사인 후루노 전기(Furuno Electric), 통신 장비 제조업체 재팬 라디오(Japan Radio)와 도쿄 케이키(Tokyo Keiki)와 함께 자율 선박을 이용해 충돌회피 기술을 연구하고 있다. 무인 자율선박이 상용화될 경우 전 세계 해운산업에서 3,340억 달러에 달하는 비용 절감이 이루어질 것으로 보이며, 안전성도 향상될 것으로 전망되고 있다.

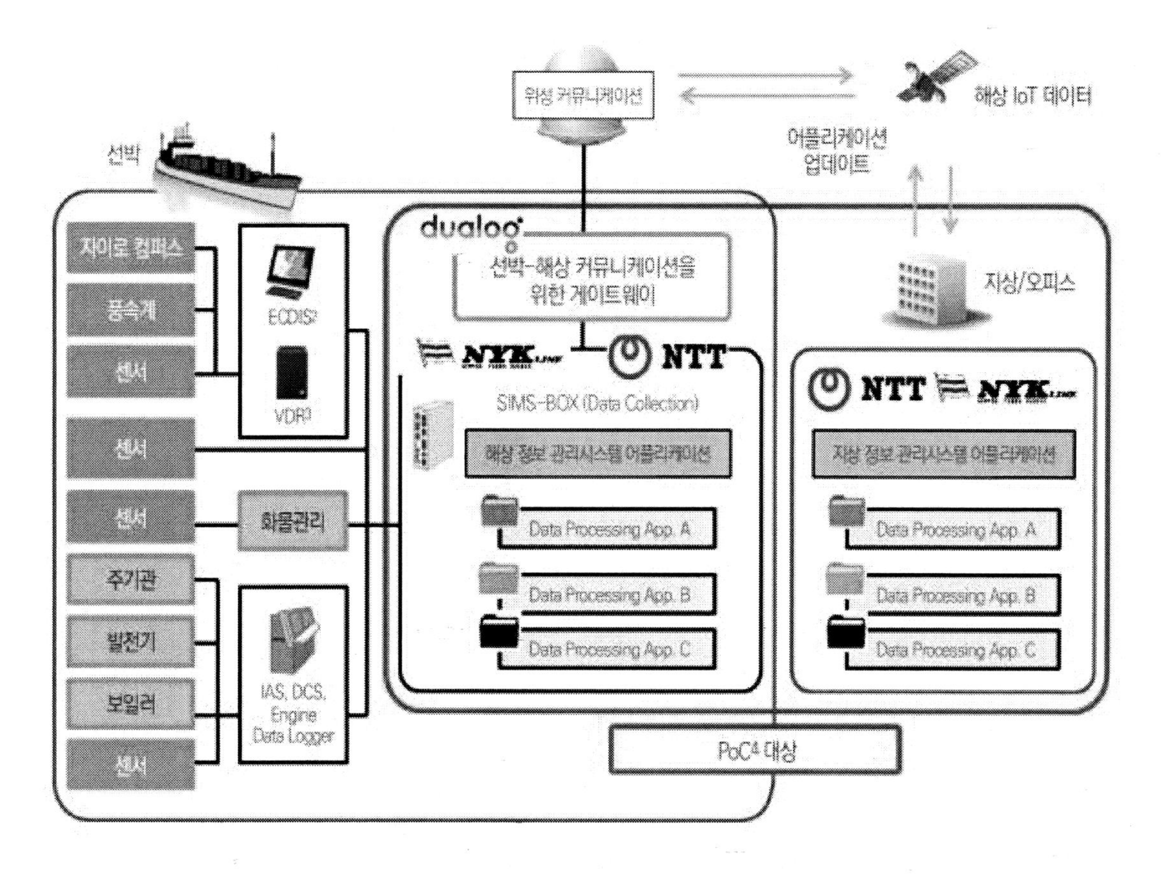


[그림 66] 일본 니폰유센의 선박 정보 관리 시스템(SIMS)

### 2) NS United Kaiun Kaisha

NS United Kaiun Kaisha(이하 NS 유나이티드해운)은 2010년 10월, 각각 50년 이상의 역사를 가진 신화해운과 일철해운의 합병으로 설립된 매출액 기준 일본 4위의 해운사로, 철광석·석탄 등의 철강 원료나 철강 제품, 원유·액화석유가스(LPG)등의 해상운송을 중심으로 사업을 추진하고 있다.

2010년 951억 엔에 머물렀던 NS유나이티드해운의 매출액은 이후 2015년까지 5년간 연평균 10.6%대의 높은 성장을 기록하여 2015년 1,576억 엔을 기록했다. 하지만 2015년을 기점으로 벌크선 시황의 불황과 시멘트 수요의 감소로 인해 2년간 연평균 -10.8% 성장률을 기록하며 2017년 매출이 1,253억 엔까지 하락하였다. 위기감을 느낀 NS유나이티드해운은 2017년도부터 3년간 약 600억 엔에 달하는 투자 계획을 밝히며, 철강 벌크선과 연안 화물선을 중심으로 하는 선대 정비를 진행하고 있다.

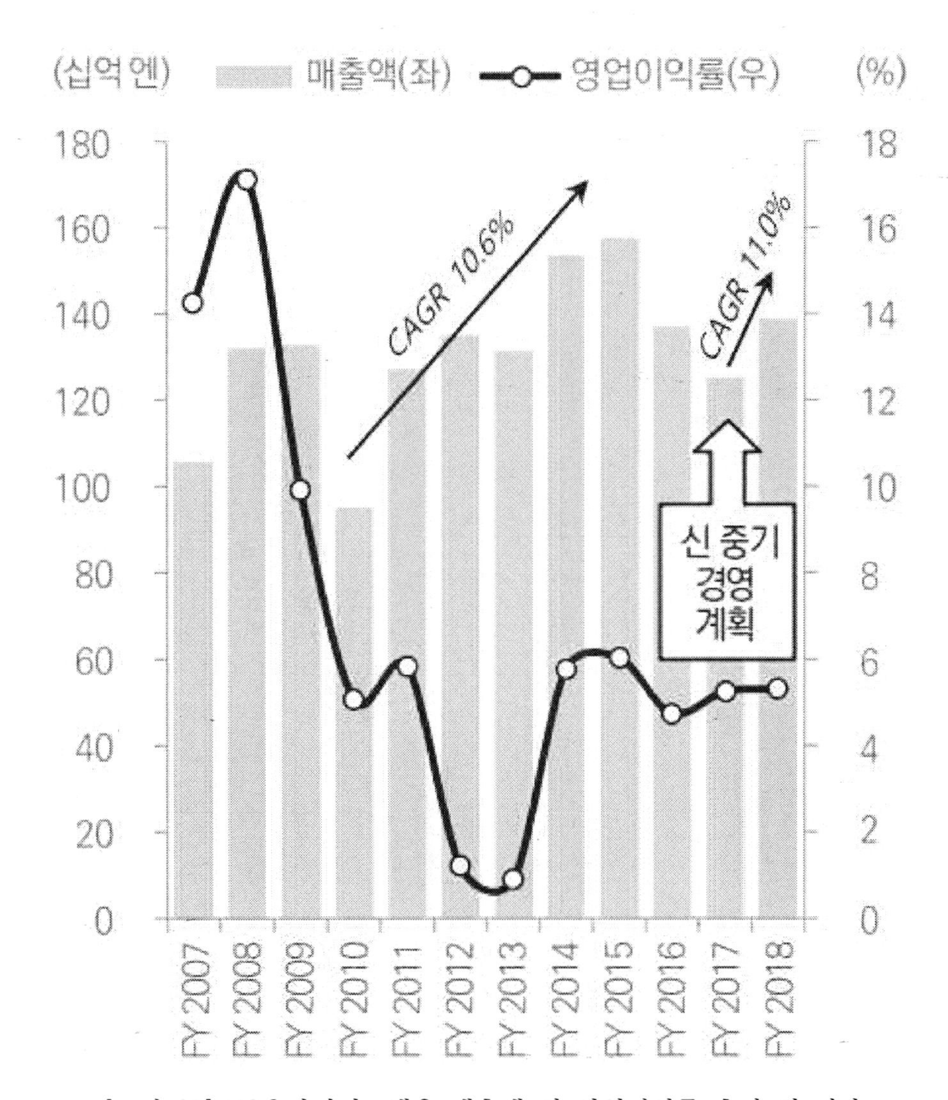


[그림 67] NS유나이티드해운 매출액 및 영업이익률 추이 및 전망

① **사업지역 확대**

NS유나이티드해운이 추구하는 첫 번째 전략은 중남미를 중심으로 한 사업지역 확대를 꼽을 수 있다. 일본발 호주항로(34.9%)를 중심으로 성장해 오던 NS유나이티드해운은 최근 들어 일본발 북미항로의 강재(Steel Material)를 중심으로 북미 선적 중남미 대상 곡물, 멕시코 및 페루, 칠레 선적 동광석 등을 조합 왕복운항으로 배선 효율을 높이고 있다.

특히 2017년에는 멕시코 서안 선적 동광석의 신규 COA(Contracts Of Affreightment, 수량수송 계약)을 2018~2019년 2년간 획득하였으며, 브라질 최대 자원 회사 발레와 철광석 장기 운송 계약을 체결하여 2020년을 시작으로 브라질-중국 항로에서 25년간 4,000만 톤의 철광석 수송을 담당할 전망이다.

② **신규 고객 확보**

두번째는 LPG선을 중심으로 한 신규 고객 확보이다. NS유나이티드는 2007년 케미컬선 사업에 진출했으며, 2007년에서 2009년까지 2만 톤급 4척을 신조 발주하는 등 적극적으로 케미컬선 사업을 추진해 왔다.

하지만 2020년부터 황산화물 규제가 시행될 예정임에 따라 스크러버 설치를 위한 공간확보가 어려운 케미컬선 운영의 난항이 예상되었다. 이에 2017년 말 NS유나이티드해운 그룹은 빠른 결단력을 발휘하여 싱가포르 현지 법인이 보유하던 케미컬선을 모두 매각했으며, 2018년을 기점으로 VLGC(Very Large Gas Carrier, 대형 LPG선)를 중심으로 화물을 늘려 고객을 확대할 수 있도록 선대를 정비해 나갈 것이라 밝혔다. 결과적으로 빠른 상황판단과 과감한 의사결정은 2018년 매출액 상승에도 직접적인 영향을 미쳤다는 평가를 받고 있다.

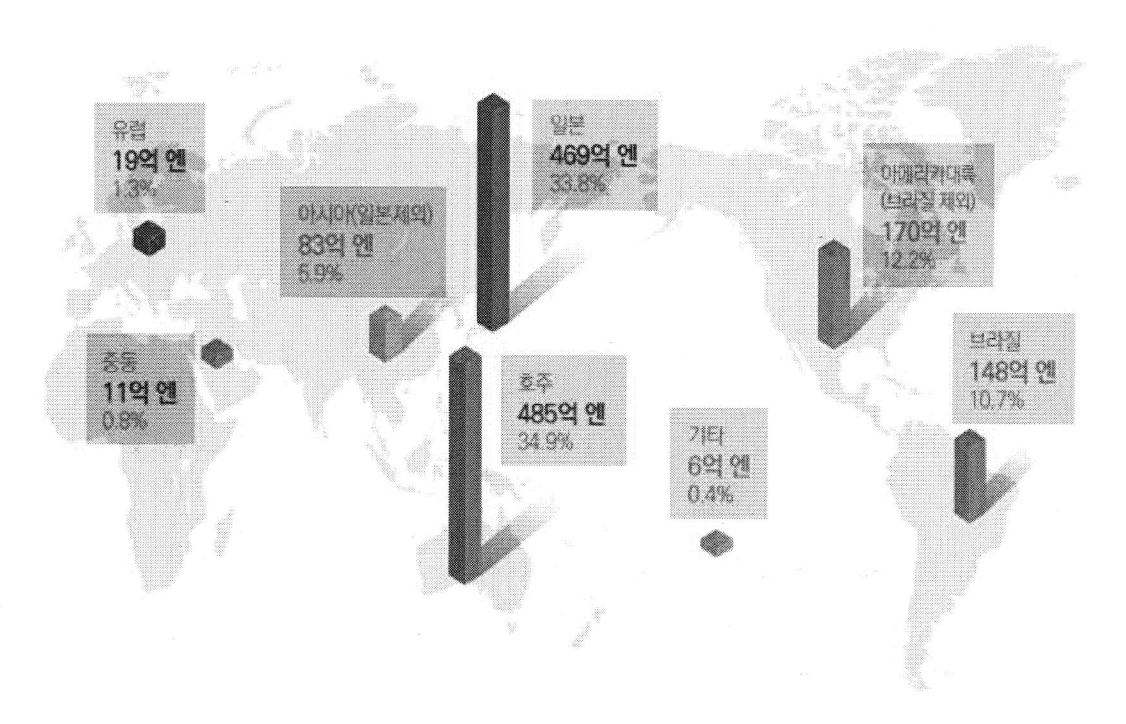


[그림 68] NS유나이티드해운의 지역별 매출액 현황(2018년 기준)

## 다. 한국

### 1) 현대중공업[22)]

[그림 69] 현대중공업

현대중공업지주는 현대중공업그룹의 지주회사이며, 지난 2017년 4월 현대중공업의 기업분할을 통해 설립되었다. 현대중공업지주는 순수지주회사의 형태를 띄고 있으며, 주요 자회사로 현대오일뱅크(74%), 한국조선해양(31%), 현대건설기계(33%), 현대일렉트릭(37%), 현대글로벌서비스(62%), 현대로보틱스(90%)를 보유하고 있다. 현재, 두산인프라코어 지분 35% 인수를 추진 중이며, 자회사인 한국조선해양을 통해 대우조선해양 지분 56%에 대한 인수도 진행 중이다. 최근 손자회사인 현대중공업 IPO도 진행 중으로 지배구조 변화 및 자본구조 변화가 빈번할 기업으로 평가된다.

현대중공업은 세계 최고 수준의 생산능력을 바탕으로 LNG 선과 해양플랜트를 포함한 전선종/전선형에 이르는 건조실적과 잔고를 보유하고 있는 등 우수한 사업경쟁력을 유지하고 있다. 수주가 급감하였던 2016~17년의 영향으로 2018년까지는 매출 감소가 불가피하였으나, 이후 초대형 컨테이너선과 LNG선 등 상선부문의 건조량 증가와 환경규제 강화에 따른 이중연료엔진 수요 확대 등으로 2019년부터 매출이 증가하고 있다. 매출 증가 폭은 다소 완화되었으나, 2020년에도 3분기 누적 매출이 전년동기대비 4.1% 증가하며 회복 추세를 이어가고 있다. 다만, 최근 1~2년간 신규수주가 대부분 상선에 집중되면서 해양과 플랜트는 부진한 실적이 지속되고 있다.

신규수주는 2016년을 저점으로 다소 회복되었으나, 수주잔고는 여전히 충분하지 못하다. 최근 LNG선 등 고가 선박의 수주 비중 확대에도 불구하고 2018~19년 신규 수주는 연간 1백억 달러 내외로 목표대비 평균 78%에 그쳤다. 양호한 사업역량에도 불구하고 전세계 발주량이 과거 수준을 회복하지 못하면서 수주 실적도 제한적인 수준에 머물고 있다.

코로나 19에 따른 발주 심리 위축 등으로 2020년 3분기 누적 신규수주액은 전년동기대비 29.1% 감소하였다. 신규수주가 매출 규모에 미치지 못하면서 2020년 3분기말 수주잔고는 전년말대비 2.9조원 감소한 13.2조원을 기록하였고, 이는 3년 평균 매출액의 1.6배 수준이다. 같은 기간 전세계 선박 발주가 48.7% 감소하였다는 점을 감안하면 수주 감소 폭은 상대적으로 크지 않으나, 안정적 매출과 수주교섭력 유지를 위해서는 잔고 확충이 필요하다.

최근 수년 간 발주 위축으로 글로벌 선박 수주 잔량이 크게 감소하였고, 국내 조선업체들이 경쟁력을 가진 LNG 추진선 등의 수요가 확대되고 있다는 점을 감안하면 신규수주는 점차 회복될 것으로 예상된다.

---

22) 현대중공업(주), 한국기업평가, 2020.12.18

다만, 코로나 19로 인해 경기회복에 불확실성이 상존하는 상황임을 감안하면 수주가 점차 회복되더라도 당분간 절대적인 발주량 규모는 과거 수준에 미치지 못할 가능성이 있다. 신규수주 회복과 이를 통한 실적 개선 가능성에도 불구하고 수주 이후 실적 반영까지의 시차와 현재의 충분하지 못한 수주잔고 등을 감안하면 단기적으로 2021년 매출은 전년 수준에 미치지 못할 것으로 전망된다.

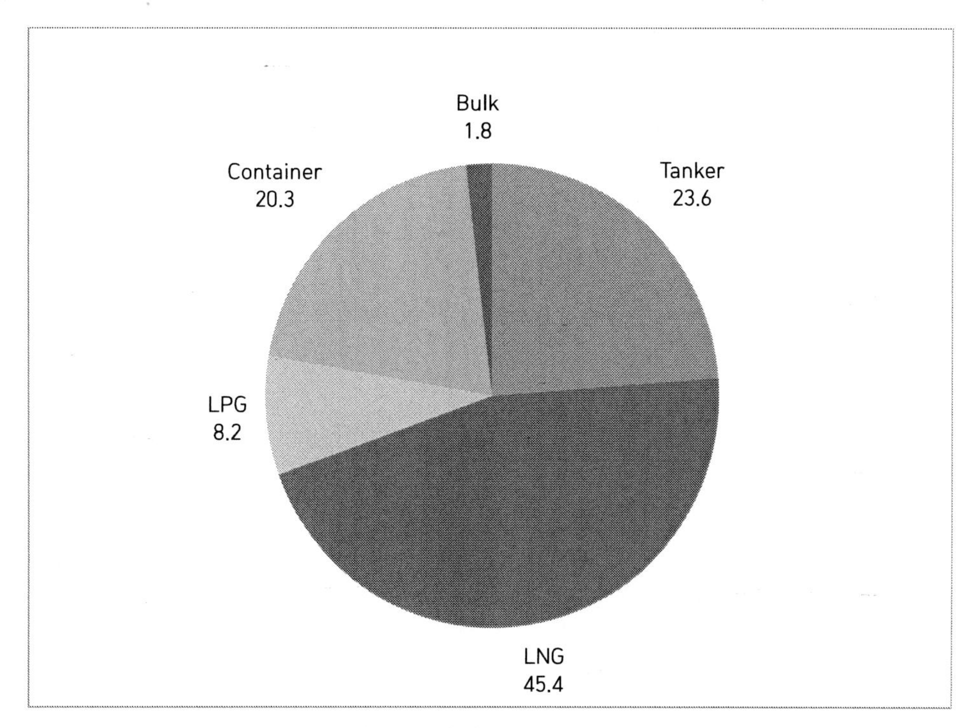


[그림 70] 현대중공업 수주잔고

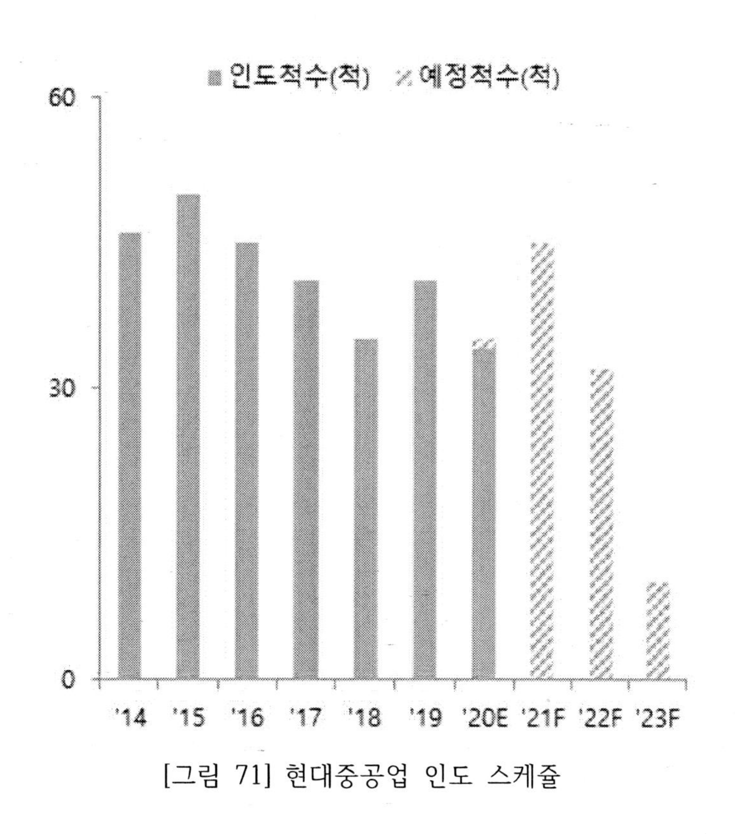


[그림 71] 현대중공업 인도 스케쥴

## 2) 삼성중공업

[그림 72] 삼성중공업

삼성중공업은 1974년 8월 설립된 삼성그룹 소속의 계열회사이며, 누적 수주실적 세계 3위의 초대형 조선업체다. 2019년 매출액은 7조3,497억원이며, 수주 실적으로 71억달러를 기록했다. 2019년말 기준 수주잔고 구성은 상선 63%, 해양플랜트 37%로 구성되어있다. 최근에는 LNG 관련제품으로 사업 무게중심이 이동하고 있으며, 최근 수주잔고의 48%가 LNG 운반선, FLNG 등 LNG 관련 제품이다. 삼성중공업은 친환경선박기술, 쇄빙기술, 천연가스처리기술 등 탁월한 기술력을 보유하고 있다.[23)]

2021년 1분기 삼성중공업의 신규수주는 해양플랜트 수주가 없는 가운데 컨테이너선 34척, VLCC 4척, LNG선 1척 등 총 39척 (49억 달러)을 기록했다. 올해 신규수주 가이던스가 상선 46억 달러, 해양플랜트 32억 달러 등 총 78억 달러 였다는 점을 감안하면 상선부문은 석달만에 이미 연간 수주목표를 달성한 것이다. 이는 코로나19 백신 보급에 따른 경기회복 기대감과 운임강세, 신조선가 상승에 대한 우려 등이 복합적으로 작용한 결과로 판단된다.[24)]

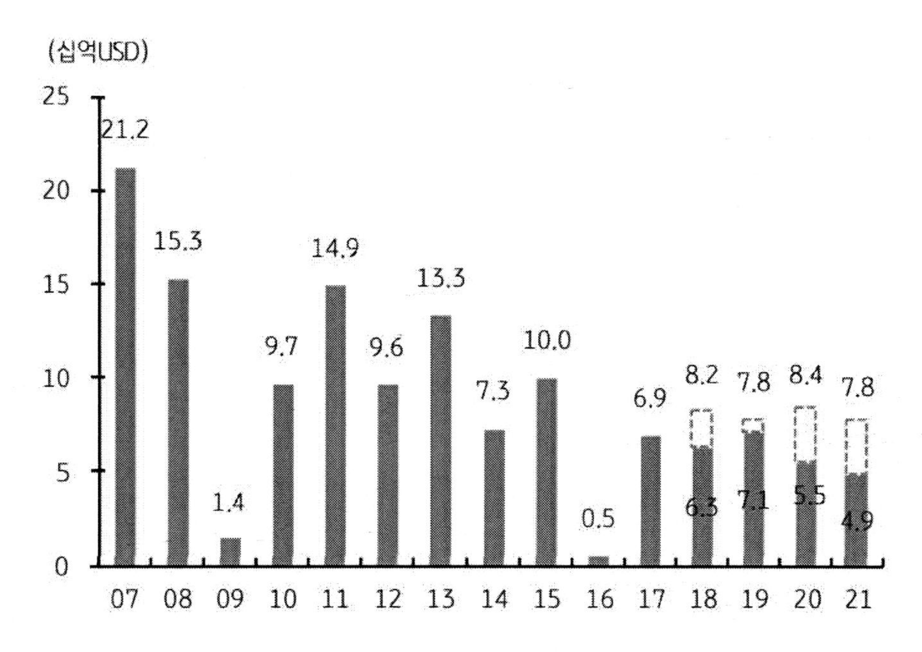


[그림 73] 삼성중공업 조선/해양 신규수주 추이

23) 삼성중공업 (010140.KS), NH투자증권, 2020.11.24
24) 삼성중공업 (010140), KB증권, 2021.04.01

이러한 삼성중공업도 극복해야 할 과제가 남아있다. 삼성중공업의 사업 포트폴리오가 해양플랜트 중심에서 LNG선 및 상선 중심으로 바뀌고 있지만, 여전히 적자 상태가 지속되고 있는 점에 주목할 필요가 있다. 삼성중공업의 상선 영업 마진이 타사와 대동소이하다고 가정하면, 해양플랜트가 실적에 지대한 부담을 미치고 있는 상황으로 판단되기 때문이다.[25)]

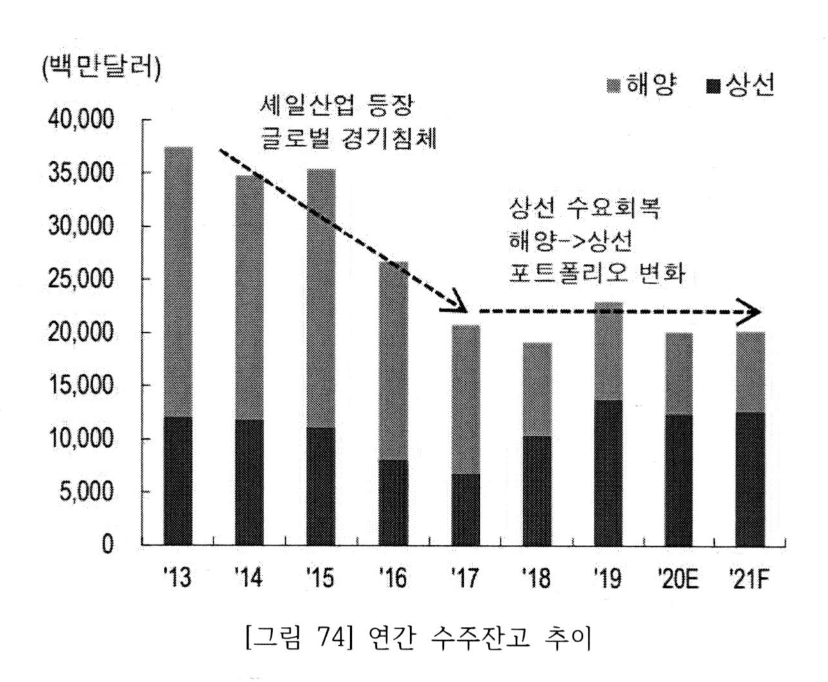


[그림 74] 연간 수주잔고 추이

| 사업명 | 물량 | 발주처 | 관계지역 | 진행상황 |
|---|---|---|---|---|
| Artic LNG 2 | 쇄빙 6척 | Novatek | 러시아 | 대우조선해양 수주 확정 |
| | 반제품 블록 | Zveda Shipbuilding | 러시아 | 삼성중공업 수주 확정(25억달러) |
| North Field LNG Batch 1 | 60척 | Qatar Petroleum | 카타르 | 1H21 본계약 채결 예상 |
| Golden Pass LNG | 20척 | Exxon Mobil | 미국 | 2H21 본계약 채결 예상 |
| LNG Canada | 8척 | Shell | 캐나다 | 2H21 본계약 채결 예상 |
| Mozambique LNG Area 1 | 16척 | Total | 모잠비크 | 2021~2022년 본계약 채결 예상 |
| Mozambique LNG Area 4 | 20척 | Exxon Mobil | 모잠비크 | 2021~2022년 본계약 채결 예상 |
| PNG LNG | 8척 | Exxon Mobil | 파푸아뉴기니 | 2022~2023년 본계약 채결 예상 |
| North Field LNG Batch 2 | 40척 | Qatar Petroleum | 카타르 | 2023~2024년 본계약 채결 예상 |

[표 12] 주요 LNG 선 발주프로그램 현황

25) 삼성중공업 (010140.KS), NH투자증권, 2020.11.24

| 사업명 | 종류 | 발주처 | 설치 예정지 | 진행상황 |
| --- | --- | --- | --- | --- |
| Bonga SW | FPSO | Shell | 나이지리아 | 진행 중. 연내 발표 기대 |
| Jansz-IO | FPU | Chevron | 호주 | 진행 중. 연내 발표 기대 |
| Browse | FPSO | Woodside | 호주 | 2021년 발표 기대 |
| North Platte | FPU | Total | 미국 | 사업 연기<br>(2021년 이후 정상화 기대) |
| Bay du Nord | FPSO | Equinor | 캐나다 | 사업 연기<br>(2021년 이후 정상화 기대) |

[표 13] 주요 생산설비 발주프로그램 현황

3) 현대미포조선

[그림 75] 현대미포조선

1975년 설립되어 선박 개조 및 수리사업을 영위하다 90년대 후반부터 선박 건조 사업분야에 진출한 현대미포조선은 현재 중형선박 건조부문 세계시장 점유율 1위를 기록하고 있다. 현대미포조선의 매출은 선박이 100%를 차지하고 있다.

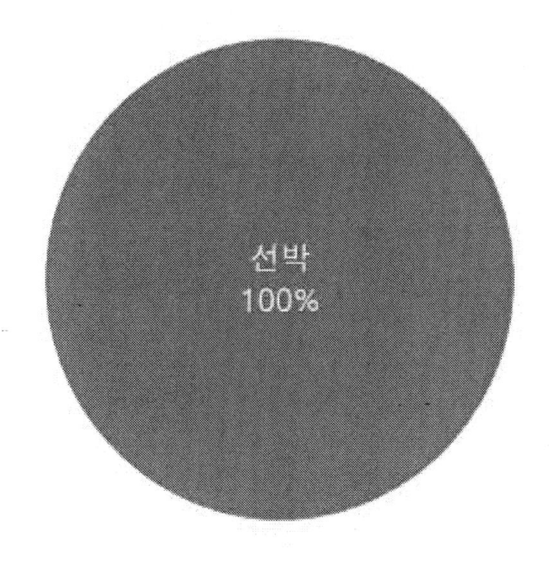


[그림 76] 매출 비중 추이

현대미포조선은 현대중공업 3사 중 유일하게 중형급 선박 건조에 특화된 기업이다. 특히 MR 탱커 건조부문에 있어서는 그 경쟁력이 뛰어나다고 할 수 있다. Clarksons Research에 따르면 2010년 이후 MR탱커 선대가 추가된 선박이 총 749척으로 파악되며 이 중 280척(비나신 포함)을 현대미포조선이 건조한 것으로 나타난다.

2018년 발주된 MR탱커는 66척이며 이 중 현대미포조선이 39척을 수주했다. 이는 59%의 높은 점유율을 차지하고 있으며, Feeder급 컨테이너선 역시 동사의 주력 선종이다. 2018년 발주된 137척 중 24척을 수주했다. 현대미포조선의 중형PC선 외 10개 선종은 세계일류상품으로 선정되었으며, 업황 하락기에 경쟁사들의 이탈로 독보적인 중형선박 건조업체로 많은 관심을 받고 있다. 이후, IMO 2020 규제가 적용될 시 PC선 시장이 호조를 보일 수 있을 것으로 전망된다.

2021년 1~2월 현대미포조선의 신규수주는 9억9200달러로 연간 수주목표의 28.3%를 달성했다. 이는 지난해 같은 기간보다 3배 이상 늘어난 수준이다. 매출기준 수주잔고 역시 지난해 말 30억8000달러에서 지난달 말 38억5000달러로 증가한 것으로 추정됐다.[26)]

또한 2020년 현대미포조선은 한국조선해양과 한국선급(KR)과 선박 등록기관인 라이베리아 기국으로부터 2만㎥급 액화수소운반선에 대한 기본인증(AIP)을 받았다. 현대중공업그룹에 따르면 이 선박은 대형 사이즈로 개발돼 상업적으로 실제 운항이 가능한 세계최초의 액화수소 운반선으로, 현대중공업그룹은 향후 현대글로비스 등과 실선 적용에 대한 구체적인 협의를 진행해 나갈 계획이다. 선급 기본인증은 선박 기본설계의 적합성 및 안전성을 검증하는 절차로, 조선사의 본격적인 영업활동의 토대가 된다.

선박이 대량의 수소를 운송하기 위해선 부피를 800분의 1로 줄이고, 안전성을 높이는 액화공정이 필수적이다. 특히 수소는 LNG(액화천연가스)보다 더 낮은 영하 253℃의 극저온에서 액화하기 때문에 액화수소운반선은 이를 안정적으로 보존하는 첨단 극저온 기술이 필요하다. 이에 한국조선해양과 현대미포조선은 현대글로비스 등과 손잡고 상업적으로 실제 운항이 가능한 세계 최초의 액화수소운반선을 개발했다.[27)]

---

26) KB증권 "현대미포조선, 신규 수주 증가로 실적 개선…목표가 5만8000원", 권유정, 조선비즈, 2021.03.11
27) 현대중공업그룹(현대미포조선), 세계 첫 액화수소운반선 인증, 경상일보, 2020.10.22

# 06

# 조선시장 전망

# 6. 조선시장 전망

## 가. 노후선 교체수요 증가[28)]

일반상선 중 대형 컨테이너선이나 가스선의 경우 고부가가치 선박으로의 의미가 있지만 전체 선박시장의 활동이 활발해지는 척도로 작용하기는 쉽지 않다. 절대적으로 차지하는 비중이 적기 때문이다. 상선 시장에서 화물선 중 가장 많은 비중을 차지하는 것은 드라이벌크선박이며, 다음으로 많이 차지하는 선박은 오일탱커이다. LNG선이나 컨테이너 선박 부문에서 이연수요의 확대를 기대해볼 수 있다면, 이외 선박시장에서 많은 비중을 차지하는 부정기선 시장은 교체수요가 발생해주는지 여부가 중요하다.

| 인도 | 탱커 | | 벌커 | | 컨테이너 | | 기타 건화물 | | 가스선 | | 기타 특수선 | | 비화물선 | | 총합 | |
|---|---|---|---|---|---|---|---|---|---|---|---|---|---|---|---|---|
| 연도 | 척 | 천GT | 척 | 천GT | 척 | 천GT | 척 | 천GT | 척 | 천GT | 척 | 천GT | 척 | 천GT | 척 | 천GT |
| <1991 | 2,612 | 4,028 | 189 | 3,984 | 125 | 1,512 | 7,973 | 13,445 | 206 | 2,771 | 1,502 | 2,656 | 15,134 | 27,160 | 27,741 | 55,554 |
| 1991 | 117 | 423 | 22 | 672 | 29 | 322 | 408 | 977 | 27 | 275 | 140 | 452 | 491 | 1,788 | 1,234 | 4,908 |
| 1992 | 150 | 374 | 22 | 747 | 12 | 201 | 365 | 705 | 28 | 469 | 156 | 639 | 541 | 1,883 | 1,274 | 5,019 |
| 1993 | 212 | 789 | 27 | 1,145 | 41 | 714 | 374 | 593 | 27 | 609 | 139 | 636 | 545 | 2,169 | 1,365 | 6,656 |
| 1994 | 173 | 776 | 73 | 2,511 | 51 | 559 | 426 | 840 | 22 | 859 | 107 | 744 | 537 | 890 | 1,389 | 7,178 |
| 1995 | 140 | 799 | 140 | 3,726 | 68 | 841 | 438 | 909 | 43 | 724 | 70 | 578 | 566 | 1,786 | 1,465 | 9,363 |
| 1996 | 139 | 2,795 | 141 | 3,557 | 110 | 1,833 | 407 | 1,049 | 55 | 1,027 | 114 | 689 | 576 | 1,855 | 1,542 | 12,805 |
| 1997 | 99 | 2,413 | 181 | 4,820 | 142 | 2,273 | 341 | 1,040 | 36 | 895 | 119 | 1,109 | 671 | 2,165 | 1,589 | 14,715 |
| 1998 | 126 | 3,268 | 144 | 3,798 | 156 | 2,818 | 293 | 1,473 | 41 | 556 | 142 | 1,838 | 644 | 2,367 | 1,546 | 16,119 |
| 1999 | 143 | 5,034 | 161 | 4,775 | 103 | 2,497 | 244 | 1,314 | 35 | 806 | 145 | 2,489 | 685 | 3,307 | 1,516 | 20,222 |
| 2000 | 163 | 8,303 | 142 | 4,663 | 120 | 3,927 | 297 | 1,660 | 47 | 1,788 | 138 | 2,406 | 570 | 2,809 | 1,477 | 25,555 |
| 2001 | 161 | 6,812 | 280 | 9,548 | 145 | 5,263 | 247 | 1,019 | 33 | 533 | 82 | 769 | 604 | 2,998 | 1,552 | 26,942 |
| 2002 | 223 | 11,568 | 205 | 7,048 | 174 | 5,981 | 261 | 997 | 31 | 1,111 | 111 | 1,121 | 731 | 3,525 | 1,736 | 31,350 |
| 2003 | 339 | 15,739 | 168 | 6,584 | 159 | 5,502 | 284 | 1,395 | 45 | 1,960 | 142 | 1,701 | 685 | 2,960 | 1,822 | 35,841 |
| 2004 | 358 | 14,824 | 263 | 10,544 | 168 | 6,471 | 432 | 1,523 | 41 | 2,212 | 150 | 2,288 | 754 | 2,680 | 2,166 | 40,541 |
| 2005 | 362 | 15,711 | 330 | 12,654 | 266 | 9,982 | 498 | 1,552 | 33 | 1,993 | 191 | 3,098 | 864 | 2,619 | 2,544 | 47,609 |
| 2006 | 426 | 13,365 | 345 | 13,859 | 372 | 14,444 | 523 | 2,054 | 70 | 3,463 | 239 | 3,565 | 1,023 | 2,358 | 2,998 | 53,108 |
| 2007 | 452 | 16,249 | 360 | 13,862 | 410 | 14,577 | 582 | 2,133 | 94 | 4,159 | 282 | 4,275 | 1,082 | 3,312 | 3,262 | 58,565 |
| 2008 | 481 | 18,398 | 454 | 14,766 | 434 | 16,134 | 699 | 2,498 | 137 | 7,829 | 402 | 6,374 | 1,341 | 4,107 | 3,948 | 70,107 |
| 2009 | 538 | 24,366 | 747 | 25,570 | 277 | 11,616 | 692 | 2,870 | 102 | 5,890 | 377 | 5,755 | 1,609 | 3,859 | 4,342 | 79,924 |
| 2010 | 471 | 21,926 | 1,089 | 45,199 | 263 | 14,786 | 635 | 3,573 | 89 | 3,781 | 304 | 5,087 | 1,538 | 4,725 | 4,389 | 99,077 |
| 2011 | 455 | 21,532 | 1,271 | 55,369 | 199 | 13,421 | 601 | 3,711 | 72 | 1,722 | 245 | 4,609 | 1,569 | 4,083 | 4,412 | 104,447 |
| 2012 | 483 | 17,503 | 1,257 | 55,503 | 217 | 13,744 | 488 | 3,222 | 48 | 539 | 165 | 2,803 | 1,707 | 4,077 | 4,365 | 97,392 |
| 2013 | 416 | 11,854 | 813 | 35,217 | 209 | 14,710 | 407 | 2,447 | 66 | 2,600 | 114 | 1,731 | 1,523 | 3,394 | 3,548 | 71,953 |
| 2014 | 306 | 9,039 | 615 | 26,760 | 208 | 16,405 | 283 | 1,670 | 86 | 4,330 | 124 | 1,962 | 1,527 | 4,594 | 3,149 | 64,759 |
| 2015 | 291 | 9,804 | 657 | 27,394 | 211 | 17,268 | 234 | 1,646 | 115 | 5,336 | 138 | 2,695 | 1,196 | 3,967 | 2,842 | 68,111 |
| 2016 | 334 | 17,039 | 565 | 25,783 | 134 | 9,504 | 204 | 1,275 | 126 | 6,457 | 168 | 2,862 | 894 | 3,899 | 2,425 | 66,818 |
| 2017 | 365 | 19,933 | 463 | 21,246 | 156 | 12,060 | 230 | 1,288 | 107 | 5,207 | 153 | 2,855 | 790 | 3,537 | 2,264 | 66,126 |
| 2018 | 324 | 14,613 | 299 | 15,514 | 179 | 13,563 | 192 | 954 | 96 | 7,302 | 178 | 2,514 | 780 | 3,757 | 2,048 | 58,217 |
| 2019 | 350 | 20,067 | 441 | 22,846 | 162 | 10,941 | 237 | 1,353 | 85 | 6,189 | 145 | 1,444 | 847 | 3,501 | 2,267 | 66,340 |
| 2020 | 177 | 9,685 | 381 | 20,890 | 93 | 6,316 | 90 | 489 | 67 | 3,823 | 80 | 1,100 | 318 | 1,210 | 1,206 | 43,511 |
| 총합 | 11,386 | 339,029 | 12,245 | 500,554 | 5,393 | 250,185 | 19,385 | 61,674 | 2,110 | 87,215 | 6,562 | 72,844 | 42,342 | 117,341 | 99,423 | 1,428,832 |
| %화물선 | | 25.9% | | 38.2% | | 19.1% | | 4.7% | | 6.7% | | 5.6% | | | | |

[그림 78] 선박별 건조된 시기

팬데믹 국면에서 가장 선박시장의 흐름을 틀어막은 것 중에 하나는 해체조선소의 활동이 중단됨에 따라 잉여공급량이 빠져나가는 속도가 느려졌다는 점이다. 해체조선소의 경우 대부분 인도, 방글라데시, 파키스탄과 같은 지역에서 이루어지는데, 2분기 강한 강도의 락다운 국면에 들어가자 해체시장이 멈추었다. 다행히 드라이벌크선의 해체량이 반등하면서 전체 선박시장의 부정기선 해체는 절반의 회복을 보이고 있다.

28) 2021년 조선업 산업전망, 신영증권, 2020.11.11

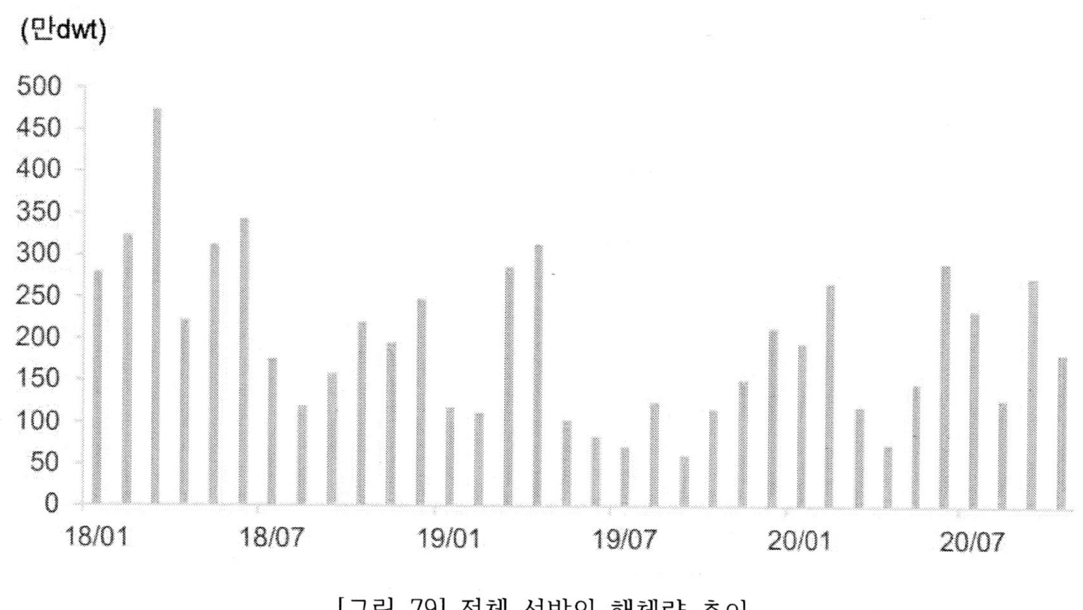


[그림 79] 전체 선박의 해체량 추이

탱커 운임이 곤두박질 치고 있음에도 불구하고 해체가 이전보다 활발하지 않은 이유는 저장용 탱커의 증가 때문이다. 벌크선 시장이 손익분기점 이상의 운임을 유지할 때도 해체선박이 늘어나는 반면, 반대의 운임에서 탱커의 해체량이 늘어나지 않는 이유이다. 2019년 연말 사우디아라비아와 러시아와의 감산합의 실패 이후 역대급으로 저장용 선박이 늘어났다고 했던 시점보다 50%가까이 더 많은 선박이 저장에 투입되는 중이다.

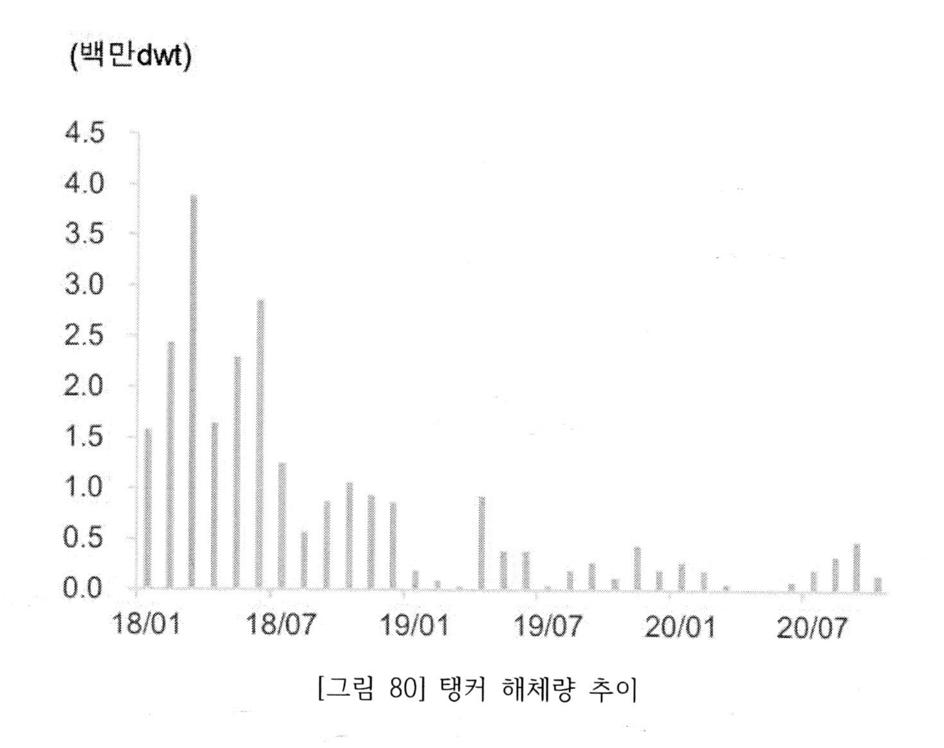


[그림 80] 탱커 해체량 추이

COVID-19백신의 개발은 국가간 이동을 자유롭게 하고, 여객항공산업을 재가동 시킬 것이며, 유가의 반등으로 이어질 것이다. 유가 반등으로 탱커 저장선박들이 다시 시장에 풀리고, 효율이 낮음에도 불구하고 해체되지 못한 잉여 선박의 해체가 빨라질 것으로 예상한다.

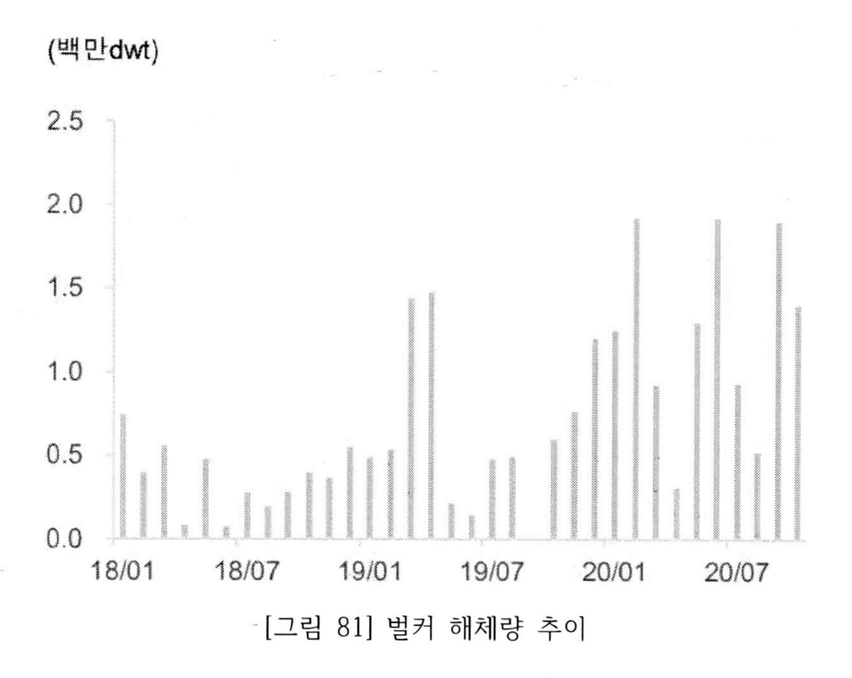

[그림 81] 벌커 해체량 추이

탱커와 벌커의 해체가 정상화되는 것에서 기대할 수 있는 최소한의 해체 선복량은 각각 연간 1천만dwt에 약 600만CGT 수준이다. 교체수요와 순증수요를 포함시키면 부정기선에서 예상할 수 있는 발주량은 최소 1,200만CGT 이상이다.

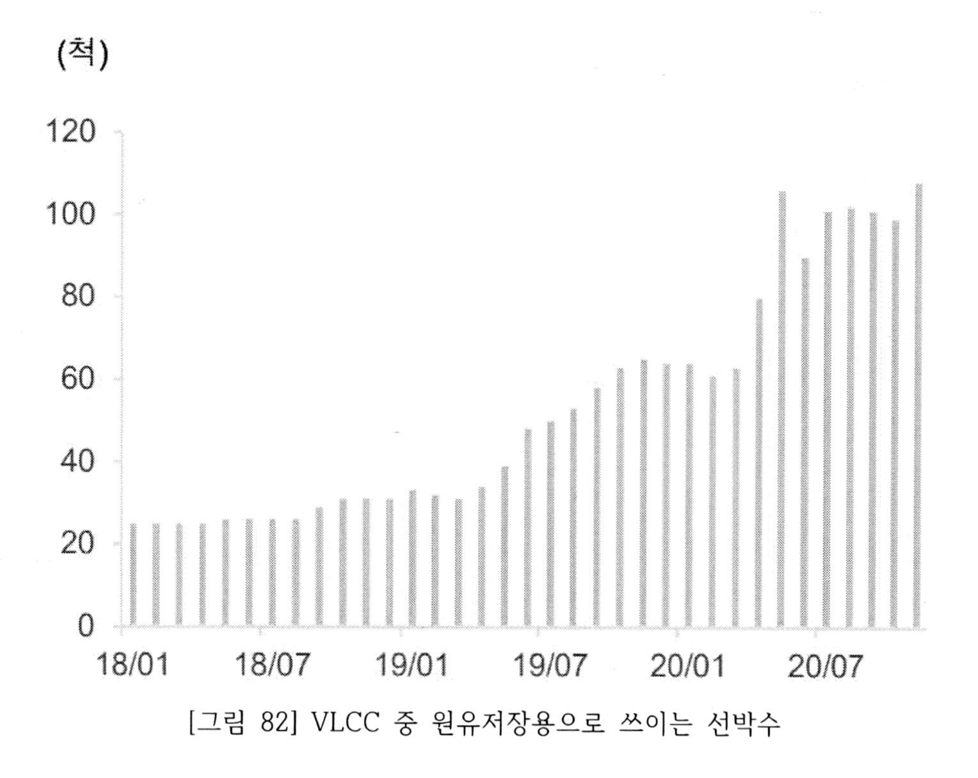

[그림 82] VLCC 중 원유저장용으로 쓰이는 선박수

## 나. 하반기 이후 일감 감소 우려[29)]

2020년 중 4분기의 대량 수주에도 불구하고 전체 수주량은 국내 생산량을 감안하면 부족한 수준이었으며 특히, 2022년 인도물량이 크게 부족한 수준이다. 2020년 4분기의 대량 수주물량도 2023년 이후 인도물량 비중이 높아 단기적 일감 부족을 해결하지 못했다.

2021년 1분기 내에 2022년 인도물량을 대거 수주하지 못하는 한 2022년 건조량은 800만 CGT 이하가 될 우려도 있으며, 이는 2000년대 호황기 이후 최저점을 기록한 2018년 건조량과 유사한 수준이다.

2022년 인도물량들은 2021년 하반기 이후 점차 야드에 투입되므로 조선사와 기자재 업계는 금년 하반기부터 일감 부족이 현실화될 것으로 우려된다. 이러한 단기적 일감 부족은 조선업계에 있어 시황 호전을 앞두고 고비가 될 것으로 예상되며 장기적 추세가 아닌 일시적 위기인 만큼 현명한 대응이 필요할 것이다. 다행히도 2023년 이후 다시 건조량은 1천만CGT 내외로 증가할 것으로 기대된다.

29) 해운·조선업 2020년 동향 및 2021년 전망, 한국수출입은행, 2021.01.28

## 다. 환경 규제[30)]

### 1) 해상환경규제의 배경과 목표

1992년 브라질 리우에서 열린 유엔환경개발회의 이후 후속조치로, 온실가스에 의한 지구온난화 방지를 위하여 192개국이 참여하는 유엔기후변화협약(UNFCCC)이 체결되었다. 선박은 선주, 선박을 사용하는 용선주, 선박의 등록국적 등이 모두 상이하여 특정 국가에 의무를 부과할 수 없는 특성상, 선박에 대한 조치는 동 협약에서 제외되고 IMO가 이를 주관하게 되었다.

IMO는 이후 지속적인 연구와 논의를 진행하여 왔으며 2010년대 들어 본격적인 기후변화 방지를 위한 조치들을 시행했다. 또한, 기후변화 방지에 가장 적극적으로 대응하여 온 EU는 IMO와 별도로 개별적인 조치를 시행하여 해상에서의 오염 저감 노력을 더욱 촉진하는 역할을 하고 있다.

IMO는 2013년 EEDI(energy efficiency design index) 규제를 시작으로 본격적인 온실가스 저감을 위한 규제 조치에 돌입했다. 2018년 IMO의 MEPC(marine environment protection committee) 72차 회의에서는 선박온실가스 감축을 위한 초기전략의 일환으로 ① 2050년까지 전 세계 선박의 온실가스배출 총량을 2008년 대비 50% 저감, ②이를 위해 2030년까지 선박의 탄소집약도1)를 2008년 대비 40% 저감, ③2050년까지 선박의 탄소집약도를 2008년 대비 70% 저감과 같은 목표가 설정되었다.

이러한 목표는 선언적 의미가 아니고 목표달성을 위한 실질적 조치들의 논의와 시행이 수반되며, 이에 따라 단기적 조치만으로도 다양한 규제가 시행되고 있거나 시행 예정에 있다.

### 2) 주요 해상환경규제와 효과

#### 가) EEDI

EEDI는 1톤의 화물을 1해리(nautical mile) 운송하는데 배출되는 CO2의 질량으로 표시되며, 설계상 도출되는 지수다. IMO는 2013년 1월 1일부터 계약되는 400GT 이상의 선박에 대해 EEDI를 일정 기준 이하로 설계, 제작할 것을 의무화하였으며 이를 충족하지 못할 경우 해당 선박의 운항을 금지하는 조치를 시행했다. 2013년 발효 당시 적용된 기준선은 선종별 크기별로 최근 10년간 건조된 상선의 평균치로 제시되어 조선사들의 부담이 크지 않았으나 이를 2015년, 2020년, 2025년에 각각 기준선 대비 10% 하향하며 강화되었다.

2015년 기준선 대비 10% 하향 강화된 기준을 phase 1, 2020년 20% 강화된 기준을 phase 2, 2025년 30% 강화된 기준을 phase 3로 칭했다. 2020년 Phase 2까지 강화되며 예정대로 시행되었고, 2025년 예정된 phase 3는 일부 선종에 대하여 2022년 조기 시행이 확정되었을 뿐 아니라 탄소배출량이 많은 선종들에 대해서는 기준선 대비 50%까지 강화되었다. 이러한 조치는 2030년 선박의 탄소집약도 40% 저감 목표 달성을 위하여 더욱 강화된 규제가 필요하였기 때문이다. 온실가스 배출량이 적고 현실적으로 저감이 어려운 일부 중소 선종 및 선형에 대해서는 기존 phase 3보다 기준을 완화하기도 했다.

---

30) 해상환경규제 효과에 의한 신조선 발주 전망, 한국수출입은행, 2021.06

| 선종 | 크기 | 감축률 3 (2022.4.1.) | 감축률 3 (2025.1.1.) |
|---|---|---|---|
| 벌크선 | 20,000 DWT 이상 | | 30 |
| | 10,000 - 20,000 DWT | | 0-30 |
| 가스 캐리어 | 15,000 DWT 이상 | 30 | |
| | 10,000 - 15,000 DWT | | 30 |
| | 2,000 - 10,000 DWT | | 0-30 |
| 탱커선 | 20,000 DWT 이상 | | 30 |
| | 4,000 - 20,000 DWT | | 0-30 |
| 컨테이너선박 | 200,000 DWT 이상 | 50 | |
| | 120,000 - 200,000 DWT | 45 | |
| | 80,000 - 120,000 DWT | 40 | |
| | 40,000 - 80,000 DWT | 35 | |
| | 15,000 - 40,000 DWT | 30 | |
| | 10,000 - 15,000 DWT | 15-30 | |
| 일반화물선 | 15,000 DWT 이상 | 30 | |
| | 3,000 - 15,000 DWT | 0-30 | |
| 냉동화물선 | 5,000 DWT 이상 | | 30 |
| | 3,000 - 5,000 DWT | | 0-30 |
| 겸용선 | 20,000 DWT 이상 | | 30 |
| | 4,000 - 20,000 DWT | | 0-30 |
| LNG 선 | 10,000 DWT 이상 | 30 | |
| Ro-Ro 화물선 (vehicle) | 10,000 DWT 이상 | | 30 |
| Ro-Ro 화물선 | 2,000 DWT 이상 | | 30 |
| | 1,000 - 2,000 DWT | | 0-30 |
| Ro-Ro 여객선 | 1,000 DWT 이상 | | 30 |
| | 250 - 1,000 DWT | | 0-30 |
| 비전통 추진기관을 지닌 크루즈 여객선 | 85,000 GT 이상 | 30 | |
| | 25,000 - 85,000 DWT | 0-30 | |

[표 14] 각 선종 및 선형별 EEDI Phase 3 시행일 및 강화 기준

### 나) 황산화물(SOx)

온실가스 배출 저감과는 별도로 선박 배출 유해가스 중 하나인 황산화물(SOx) 저감을 위하여 2020년 1월부터 세계 모든 해역 선박들의 연료를 황함유량 0.5% 이하로 규제하는 IMO 황산화물 규제가 시행된다. 기존 규제는 황함유량 3.5%까지 허용하여 선박용 HFO(heavy fuel oil)를 연료로 사용할 수 있었으나 2020년부터 특수한 설비를 갖추지 않은 상태에서 HFO의 사용이 금지된다.

선박의 규제 대응 방안에는 3가지가 있으며 이 중 첫 번째 방법은 황산화물저감장치인 스크러버를 장착한 후 기존 HFO를 그대로 사용하는 것으로, 가장 경제적인 방법이나 각국 정부의 규제 등으로 많이 채택되지 못했다. 스크러버 장착은 선박의 크기에 따라 수백만달러 규모의 개조비용을 소요하나 가격이 낮은 기존 벙커유를 사용할 수 있다는 점에서 가장 경제성이 높은 대안이다. 그러나 스크러버는 장치 내에서 바닷물에 황산화물을 용해시켜 공기중 배출되는 황산화물을 저감하는 장치로, 처리된 물을 해상에 그대로 투기하여야 한다는 점에서 해양환경 오염 논란이 있고 이 때문에 많은 국가에서 사용을 규제하고 있다. 이러한 규제와 해상에서의 신뢰성 문제 등으로 스크러버를 채택한 선박은 10% 내외에 불과한 것으로 알려졌다.

두 번째 방법은 LNG를 연료로 사용하는 대안인데 이는 기존선의 경우 개조비용이 높아 현실적 대안이 될 수 없고 신조선에 채택될 수 있다. 세 번째 대안으로는, 선박에 대한 별도의 개조 없이 황이 제거된 고가의 저유황유를 사용하는 것이며 약 90% 내외의 기존선들이 이를 채택하였고 연비가 낮은 노후선은 비용 부담이 더욱 가중되었다.

싱가포르항 기준 HFO의 대표적 상품인 380cst의 가격은 2021년 5월 평균 톤당 386.0달러이었으며 저유황유의 대표적 상품인 MGO의 동일항 동일시점 가격은 톤당 561.1달러로 약 45% 높은 수준을 기록했다. 결과적으로 황산화물 규제는 선박의 연료비용을 40~50% 증가시켜 연료소모가 많은 저효율 선박의 부담을 가중시킴으로써 온실가스 저감을 위한 규제들과 함께 노후선에 대한 압박을 높이는 역할을 할 것으로 추정된다.

2020년 9월 EU 의회는 "2022년부터 EU회원국 경제해역 내 항만에 기항하는 5,000GT 이상의 모든 선박에 대하여 탄소배출권 거래제를 의무화하는 안"을 통과시켰다. 허용치와 구매의무 대상 배출량 등 상세한 사항은 회원국들과의 협의를 거쳐 법제화할 것으로 밝히고 있으며 구체적 안은 2021년 7월중 발표될 것으로 예상된다.

5월 EU의 ETS 가격 50유로를 기준으로 허용치 외의 연료소모량에 대한 배출권 구매비용은 연료 1톤당 약 186달러로 추정되며 향후 유럽지역의 배출권 가격 상승에 따라 비용은 더욱 증가할 가능성이 있다.

### 다) EEXI

EEXI(energy efficiency existing ship index) 규제는 신조선에 적용되는 EEDI와 동일한 기준의 규제치를 기존선에도 요구하여 탄소집약도를 낮추고자 하는 규제이며 2023년부터 규제 시행이 확정되었다.

EEXI는 해당 시점의 EEDI와 동일한 규제치 기준을 충족하는 선박의 경우 운항에 문제가 없으나 이를 충족하지 못하면 운항속도의 감속, 개조, 연료의 변경 등을 통해 규제치를 충족하도록 하는 강력한 규제다. 규제치를 충족하지 못하는 선박들의 경우 여러 대안 중 현실적으로 운항속도의 감속이 사실상 유일한 대안으로 거론되고 있다.

시행 시점이 2023년이므로 EEDI phase 3가 2022년에 조기 시행되는 선종과 선형의 경우 규제치는 강화된 phase 3가 적용될 예정이며, 조기 시행되지 않는 선종/선형은 2020년부터 시행되는 phase 2의 기준치가 적용될 예정이다. 규제치는 시간이 갈수록 강화될 예정이므로 2023년 시행 시점에서 기준을 통과한다 하더라도 이후 규제치를 충족하지 못할 수 있다.

Phase 3 조기 시행 선종/선형의 경우 현재 논의되고 있는 phase 4가 시행되는 시점에서 더욱 강화된 기준이 적용될 예정이며 phase 3 조기 미시행 선종/선형의 경우도 2025년 이후 phase 3로 강화되는 기준을 적용받게 된다. 2013년 EEDI 규제 이후 계약, 건조된 선박들도 초기에 적용된 낮은 수준의 규제치로 설계되어 2023년 시행 기준을 충족시키지 못할 가능성이 높으며, 그 이전 계약 선박들은 고효율 기술조차 적용되지 못한 선박들이 대부분이다.

현존선의 80% 이상이 EEXI 규제치를 통과하지 못할 것으로 예상되어 대부분 선박의 감속운항이 불가피할 전망이며 많은 노후선들이 정상적 영업이 어려운 수준까지 감속해야 할 가능성이 높다. 동 규제로 노후선들의 운항 지속성이 매우 큰 어려움에 직면할 것으로 전망이다.

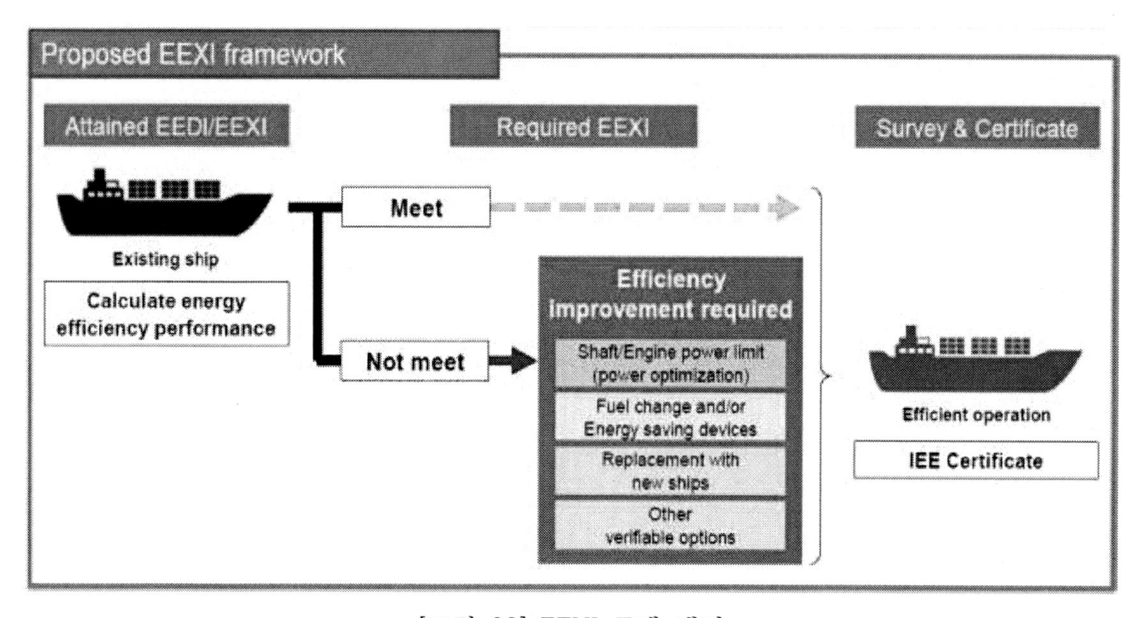


[그림 83] EEXI 규제 개념

### 라) CII

CII(carbon intensity indicator)는 선박이 실제 운항하며 배출한 온실가스의 양을 선박의 톤수(dwt) 및 거리(nautical mile) 당 환산한 수치로, 매년 각 선박에 대한 등급을 부여하여 등급에 따른 제재를 가하는 조치다. EEXI는 설계 단계에서 적용된 사양에 따르는 기술적 조치인 반면, CII는 실제 운항에서 배출된 온실가스 양에 따른 운항적 조치라고 할 수 있다.

EEXI는 설계 시 적용된 사양 등에 따라 수치를 계산하고 선급에서 실선에 탑승하여 확인이 필요한 사항들을 확인한 후 효율성지수에 대한 증서를 발급하는 기술적 수치로, 실제 운항에서 날씨나 바다 조건 등에 의한 영향은 배제된다.

반면, CII는 선박이 한 해 동안 운항하며 실제로 소모한 연료의 양을 기반으로 측정하므로 날씨 변화 등에 따른 추가적 연료소모까지 반영되는 등 보다 실질적 데이터에 기반한 조치다. 현재 5,000GT 이상의 국제항행 선박은 매년 운항데이터를 IMO DCS(data collection system)에 보고하도록 의무화되어 있으며 2023년부터 CII 달성 값을 의무적으로 함께 보고해야 한다. 주관청(IMO 또는 대행기관)은 선박의 CII 값을 당해년도 CII 요구치(reqired CII)와 비교하여 선박에 등급을 부여한다.

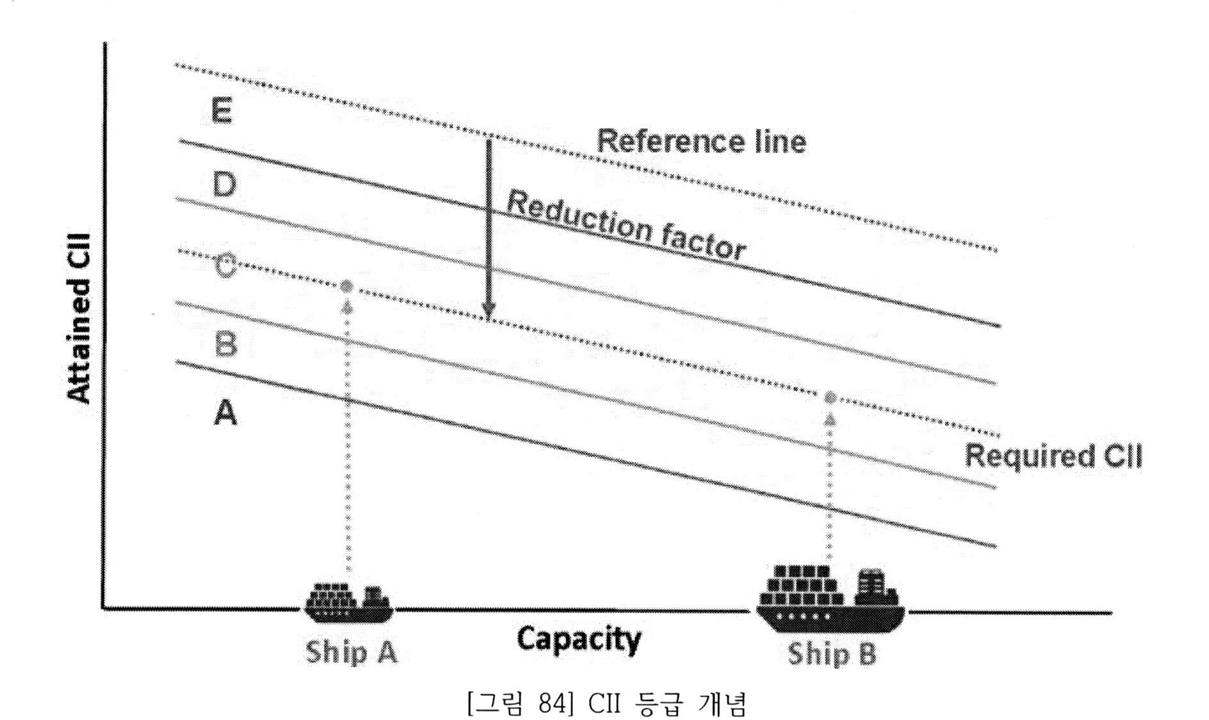


[그림 84] CII 등급 개념

IMO는 동 조치를 2030년 40%의 탄소집약도 저감 목표 달성에 적극 활용할 것이며, 이를 위하여 2023~2026년까지 매년 2%의 탄소배출 저감이 가능하도록 기준을 강화할 계획이다. IMO는 A~E 등급으로 5단계 등급을 부여하고 A, B 등급의 경우 각국 항만 당국 등에 인센티브를 부여할 것을 권장하며 C등급 이상이면 제재 조치가 없다.

연속 3년 D등급을 받거나 1년 E등급을 받은 경우 선주는 개선방안을 포함한 SEEMP(선박에너지효율관리계획서 : Ship Energy Efficiency Management Plan)를 작성하여 이를 확인받은 후 인증서를 발급받고 선박을 운항하여야 한다. 제재 등급을 받은 선박의 선주는 제출한 개선방안을 이행해야 하며 등급을 개선하지 못 할 경우 선박 운항에 필요한 인증서를 발급받을 수 없어 시장에서 퇴출된다.

CII는 저효율 선박의 퇴출을 강제화하는 강력한 조치이며, C등급 이상을 받은 선박이라 하더라도 CII 요구치가 매년 강화되므로 매년 개선활동을 하지 않으면 순차적으로 선박들이 퇴출되어 노후선에 치명적인 규제라 할 수 있다.

### 마) 시장기반조치

시장기반조치(MBM : market based measures)는 경제적 인센티브 또는 페널티를 활용하여 효과적으로 온실가스 배출을 감축하고자 하는 정책적 조치다. 현재 IMO에는 온실가스배출권 거래제, 탄소세, 탄소펀드 등 다양한 방안이 제안되어 있으며 논의 중에 있다.

탄소세는 세계 항만에서 화석연료 가격에 탄소세를 부가하여 판매함으로써 연료를 많이 사용하는 선박이 더 많은 탄소세를 부담하도록 하고, 이를 통하여 조성된 기금으로 기술개발 등 온실가스 저감을 위한 활동에 활용하도록 하는 방안이다.

탄소펀드는 탄소배출량에 비례하여 펀드에 대한 출자금을 부담하도록 하고 조성된 기금으로 온실가스 저감을 위한 활동에 활용하도록 한다. 2019년부터 시작된 IMO의 데이터수집 시스템인 DCS를 통하여 이미 데이터 분석이 상당 부분 완료되어 수년 내 현실적 대안을 도출하고 MBM이 실행될 것으로 예상된다. 이러한 조치 역시 저효율 노후선에 상당한 부담으로 작용할 수 있다.

### 3) 한국 수주량 전망

폐선대상 선박의 물량, 해운시황에 따른 수요 대비 발주율, 해운수요 증가율 등의 가정에 따라 변동이 있으며 최저 2031년 3,380만CGT부터 최고 2025년 3,950만CGT까지 발주량이 기대된다. 본 추정치는 벌크선, 탱커, 컨테이너선, LNG선, LPG선, Ro-Ro선, PCC 등만을 대상으로 추정한 수치이며 세계 발주량의 약 10%에 해당하는 크루즈선 및 특수선, 해양플랜트 등은 제외한 결과다. 이러한 수준은 과거 호황기 (4,500~9,300만CGT) 수준에는 크게 미치지 못하나 2014~2015년 (4,100~4,500만CGT) 시황과 유사한 수준이며 2016년 이후의 침체기 (1,400~3,500만CGT)보다는 개선된 수준이다.

10년간 평균 1,926만CGT의 교체수요가 발생할 것으로 예상되며 전체 수요의 약 52%를 차지한다. 동 기간 신규수요는 연평균 약 1,790만CGT 수준이 될 것으로 추정된다.

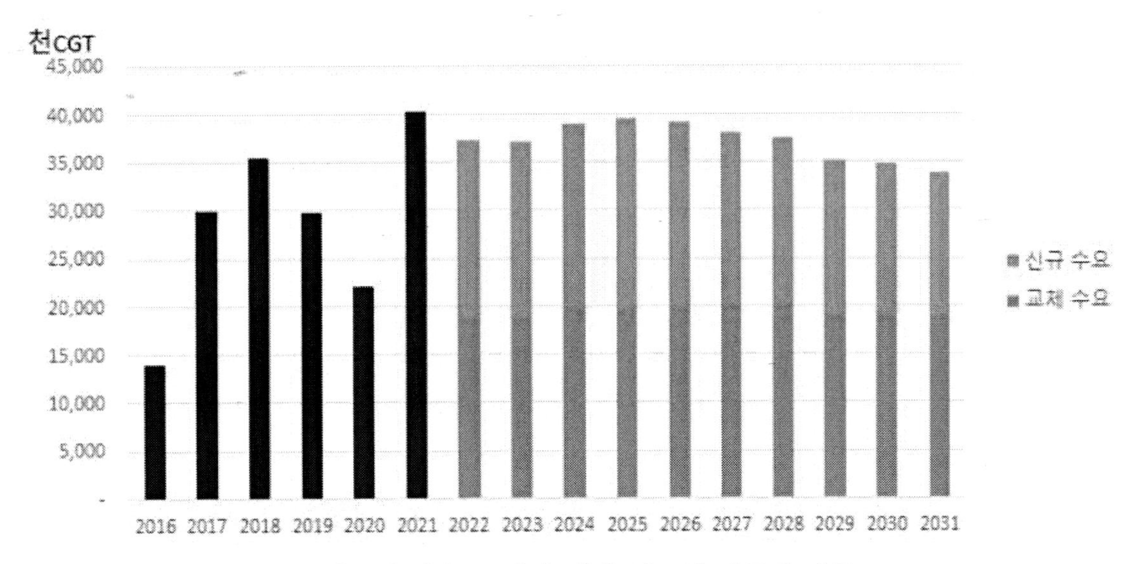


[그림 85] 향후 10년간 세계 신조선 발주량 예상

한국의 수주점유율은 28.1%~32.8% 수준이 될 것으로 추정된다. 2026년까지 점유율이 낮은 이유는 한국의 점유율이 높은 대형 컨테이너선들의 선령이 낮아 2026년 이전까지 교체수요가 발생하지 않을 것으로 예상되기 때문이다. 현재 12,000TEU급 대형 컨테이너선들은 15년차 이상의 선박들이 거의 없다. 이 때문에 대형 컨테이너선들의 교체수요는 10년차 이상 선박들 일부가 폐선될 것으로 예상되는 2026년 이후에 발생할 것으로 전망된다.

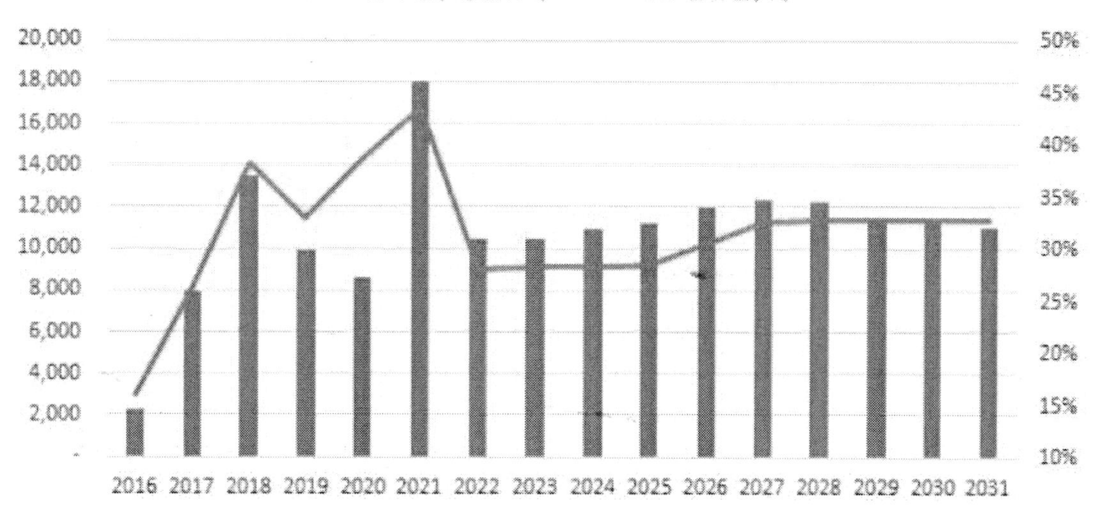

[그림 86] 한국의 예상 수주량 및 수주점유율

## 라. LNG 수요 증가

온실가스를 줄이기 위해 석탄을 대체할 수 있는 대체에너지로 LNG가 지목되면서 전세계 LNG 수요가 늘어나고 있다. LNG는 석탄에 비해 배출되는 이산화탄소와 유해물질이 현저히 적은 수준이고, 친환경 재생에너지에 비해 안정적인 전력 공급원 역할을 할 수 있기 때문이다.

IEA는 LNG의 주요 에너지원 내 점유율이 2015년 기준 20.6%에서 2040년 기준 24.8%로 증가할 것이라는 전망을 내놓았다. 이러한 LNG 수요증가와 더불어 Shale Gas 생산이 늘어나고 있는 것은 LNG 운반선 대형 발주가 나오기에 적합한 환경이 조성되었다고 볼 수 있다.

실제로 카타르 국영회사인 카타르페트롤리엄(QP)가 주요 글로벌 조선사들에게 LNG 운반선 발주를 위한 입찰 제안서를 보내며 13조원 규모의 60척 대형 발주 계획의 시작을 알렸다. 게다가 향후 10년동안 100척 추가 발주의 여지를 남겨둔 만큼 상황에 따라 10년의 먹거리가 보장되는 셈이다.

클락슨 리서치에 따르면 전 세계 LNG선 수주 잔량 140척 중 73%인 102척을 한국 조선업체에서 차지하고 있고 올해 발주된 15척 가운데 12척(80%)을 한국 조선사가 수주를 받은 상황이다.

국내업체가 생산하는 멤브레인(Membrane)형은 일본업체가 생산하는 모스(Moss)형 대비 18만m3 이상 대형선박을 만들기에 유리하며 중국은 후둥둥화조선이 건조한 LNG선 글래드스톤이 선령 2년만에 엔진결함으로 해상에서 정지되면서 신뢰성을 잃은 상황이다.

## 마. 자율운항선박[31)]

### 1) 자율운항선박 개요

자율운항선박은 ICT, 센서, 스마트기술 등 4차산업혁명 관련 요소기술이 집약된 미래 고부가가치 선박이다. 자율운항 선박은 인공지능(AI), 사물인터넷(IoT), 빅데이터, 첨단 센서 등을 융합해 지능화된 시스템으로 항해자의 의사결정을 지원·대체할 수 있으며, 궁극적으로는 무인화가 가능한 차세대 고부가가치 선종을 지칭한다.

자율운항선박 기술은 향후 친환경·스마트 패러다임 전환을 주도할 기술로, 친환경과 디지털 해운의 시대로 넘어가는 과도기를 겪고 있는 해운업계에서는 자율운항·디지털기술의 선제적 확보가 미래 선사 경쟁력을 좌우할 것으로 예상된다.

자율운항선박 기술개발은 기존의 선원 업무를 지능화 시스템으로 대체함으로써 인적과실에 의한 해양사고를 감소시킬 수 있으며, 열악한 선상에서의 업무를 육상에서의 업무로 전환함으로써 선원들의 만족도를 향상할 수 있으며 선상에서 선원의 편의성을 향상시킴으로써 업무 효율성을 향상시킬 수 있다.

어큐트 마켓 리포츠(Acute Market Reports)는 자율운항선박의 시장을 부분적 자율운항선박(Partially Autonomous Ship)과 완전 자율운항선박(Fully Autonomous Ship)으로 구분하여 각각의 기술수준 및 개념을 다음과 같이 정의하였다.

| 구분 | 개념 및 기술수준 |
|---|---|
| **부분적 자율운항선박 (Partially Autonomous Ship)** | • 최소 선원의 역할로 선내 시스템을 통해 부분적 자율운항 하는 선박<br>• 선박 제어, 모니터링 및 비상조치 등을 포함한 다양한 자동화 수준의 업무를 수행할 수 있음 |
| **완전 자율운항선박 (Fully Autonomous Ship)** | • 선진 IT시스템을 통해 운송의 모든 측면을 제어하는 선박(즉, 선원의 간섭 없이 출항지와 도착지를 시스템에 의해 자율적으로 운항하는 선박)<br>• 센서 및 기타 데이터를 통해 해상교통 및 기상 조건과 관련한 데이터를 수집하고 분석 가능 |

[표 15] 자율운항선박 구분

자율도는 선박이 한 지점에서 다른 지점으로 이동할 때 인간이 개입하는 정도로 구분될 수 있으며, 선박의 자율도를 높이기 위해서는 선내 시스템의 자동화, 선내 시스템의 원격 제어 및 모니터링, 주변 상황 인식, 항로 의사 결정 및 운항 제어, 그리고 이를 위한 다양한 데이터의 획득 등 매우 다양한 요소의 달성이 필요하다. 현재까지 여러 기관이 각각의 주안점에 따라 선박의 자율도 단계를 구분했다.

---

31) 미래 조선/해운 산업 선도를 위한 자율운항선박 기술, 해양수산과학기술진흥원, 2021.03

IMO(International Maritime Organization)에서는 자율운항선박을 4단계로 구분하여 각각에 대해 다음과 같이 기술했다.

| 자율단계 | 설명 |
|---|---|
| **Degree 1** | Ship with automated process and decision support |
| **Degree 2** | Remotely controlled ship with seafarers on board |
| **Degree 3** | Remotely controlled ship without seafarers on board |
| **Degree 4** | Fully autonomous ship |

[표 16] IMO의 자율운항선박 단계 구분

Lloyd 선급에서는 자율운항선박의 자율도 수준을 총 7단계로 구분하여 다음과 같이 기술했다.

| 자율단계 | 설명 |
|---|---|
| **Autonomy Level 0** | Manual |
| **Autonomy Level 1** | On-board Decision Support |
| **Autonomy Level 2** | On & Off-board Decision Support |
| **Autonomy Level 3** | 'Active' Human in the loop |
| **Autonomy Level 4** | Human in the loop, Operator/Supervisory |
| **Autonomy Level 5** | Fully autonomous: Rarely supervised |
| **Autonomy Level 6** | Fully autonomous: Unsupervised |

[표 17] Lloyd 선급의 자율운항선박 자율도 구분

노르웨이 기술대학에서도 IMO와 같이 자율운항선박의 자율도를 4단계로 구분하여 다음과 같이 기술했다.

| 자율단계 | 설명 |
|---|---|
| **Level of Autonomy 1** | Automatic Operation(remote control) |
| **Level of Autonomy 2** | Management of Consent |
| **Level of Autonomy 3** | Semi Autonomous |
| **Level of Autonomy 4** | Highly Autonomous |

[표 18] NTNU의 자율운항선박 자율도 구분

영국의 해양산업을 대표하는 기관인 Maritime UK는 자율운항선박의 자율도를 6단계로 구분하여 다음과 같이 기술했다.

| 자율단계 | 설명 |
|---|---|
| **Level of Control 0** | Human on board |
| **Level of Control 1** | Operated |
| **Level of Control 2** | Directed |
| **Level of Control 3** | Delegated |
| **Level of Control 4** | Monitored |
| **Level of Control 5** | Autonomous |

[표 19] Maritime UK의 자율운항선박 자율도 구분

### 2) 자율운항선박 기술

#### 가) 선내 데이터 네트워크

##### (1) 데이터 플랫폼 기술

데이터 플랫폼 기술은 자율운항선박의 기능 구현을 위해 선박 내에서 생성되는 각종 정보를 수집·저장·분석·전달하고 이를 의미 있는 정보로 가공하기 위한 데이터 통합관리 플랫폼 기술 개발에 해당한다. 이는 선내의 각종 시스템과 연결되는 선내 데이터 게이트웨이 역할 뿐 만 아니라 육상과의 데이터 연계를 위한 역할까지도 포함될 수 있다.

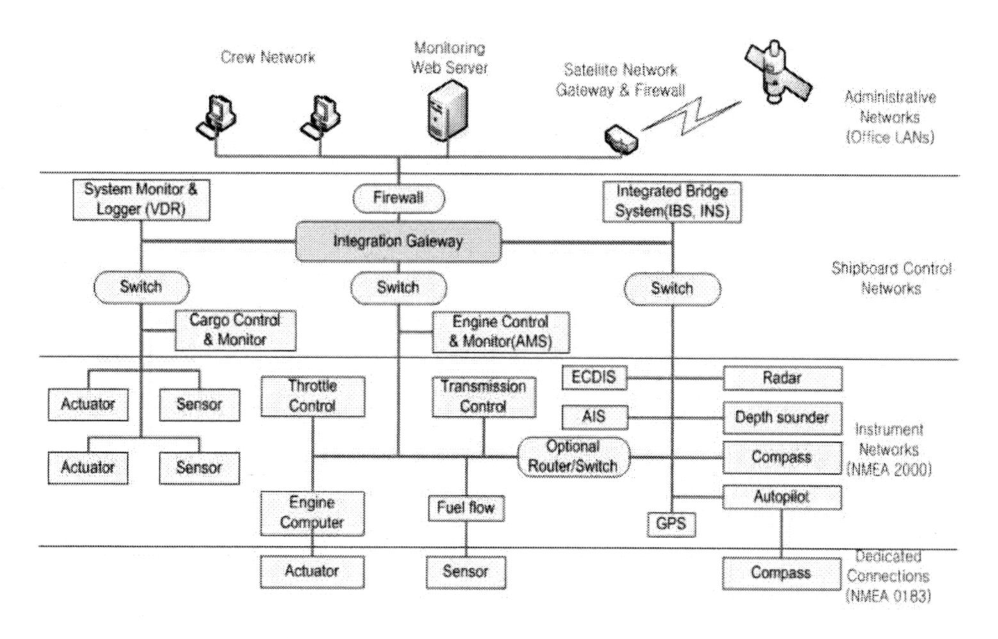


[그림 87] 선박 통합 네트워크의 참조망 구조

#### 나) 자율화 및 지능화

##### (1) 상황 인식 기술

선원이 최소화된 선박이 운항될 때 주요한 요소는 충돌 및 사고방지 가능 여부이며, 이는 선원이 인지하지 못한 상황에서 AIS, 레이더, 영상 등 선내 데이터를 융합하여 해상 고정물과 부유체를 탐지하고 인식하여 위험 경고가 가능한 시스템 개발로부터 상황 인식 기술의 개발이 시작된다.

##### (2) 항로 의사 결정 및 제어 기술

자율운항선박의 전체 항행 과정에 있어 해상환경정보 및 통항 정보, 항구 정보, 선박 정보를 통합적으로 파악하여 안전한 운항을 유지하고, 손실되는 연료 및 시간을 최소화하는 최적의 항로를 결정하는 것이 매우 중요하다. 이를 위해 선박이 다양한 상황(통항상황, 날씨, 운항노선 등)을 고려하여 자율적이고 경제적인 항로를 찾고 스스로 운항할 수 있는 최적 항로를 결정하도록 하는 항로 의사 결정 기술 개발이 이에 해당한다. 이는 자율운항선박의 자율도 레벨을 결정하는 주요 지표다.

#### (3) 엔진 자동화 및 에너지 관리 기술

자율운항선박은 선원이 승선하지 않은 상태에서 전체 운항 과정에 있어 선박 내부의 장비에 대한 제어가 가능하여야 하고, 기계적인 고장이 아닌 단순한 장애에 대해서는 자동/원격 복구가 가능하여야 하므로 엔진 자동화는 자율운항선박이 갖추어야 할 필수적 요소다. 또한, 선내 데이터에 대한 통합 관리가 가능해지므로 선박에 장착된 모든 에너지 시스템(연료저장, 연료공급, 발전, 에너지 저장, 에너지 소모 시스템)을 통합적으로 관리하여 효율적으로 사용할 수 있도록 관리하는 기술을 통해 에너지 최적화도 가능해질 전망이다.

### 다) 육상 대응 시스템

#### (1) 원격 제어 및 관제 기술

자율운항선박의 운항을 위해서는 자율운항선박의 실시간 운항정보를 모니터링할 수 있어야 하며, 상황별, 운항 구간별, 운항 시간별 위험요소 및 필요 조치의 표준과 선박으로부터 수신되는 각종 정보를 비교하여 사용자의 설정된 범위에 따라 안전한 운항이 가능하도록 관제할 수 있어야 한다. 자율운항선박에 대하여 육상기반 시스템과 전문가에 의한 육상 운영·관제·제어 센터의 역할이 증대될 것으로 예상됨에 따라 육상정보 시스템과의 연계 및 지원이 원격 제어 및 관제 기술에 포함된다.

### 라) 통신 기술

#### (1) 원/근거리 통신 기술

스마트 자율운항선박의 안정적 운항 및 육상과의 끊김없는 정보 교환을 지원하기 위한 네트워크 체계에 관한 기술로 선박-육상 간 데이터 처리기술, 데이터 교환을 위한 통신기술, 선박-육상간의 데이터, 영상, 음성 등 다양한 정보를 안정적으로 송수신하기 위한 육상-선박 네트워크 기술로 이루어져 있다. 이를 위해 위성-LTE-VDES 연계 통신시스템으로 연근해에서는 LTE 및 VDES 통신망으로 스위칭하고, 대양에서는 위성통신망을 이용하는 Intelligence Switching 통신기술이 원/근거리 통신 기술에 해당된다.

### 마) 안전/보안 기술

#### (1) 사고 대응 기술

자율운항선박의 사고를 방지하기 위해 발생할 수 있는 사고의 주요 요인을 사전 탐지하여 사고발생을 예방하며, 불가항력적인 사고가 발생할 경우를 대비하여 신속 대응하기 위한 체계 구축이 사고 대응 기술에 해당한다. 물론 여타 사고들에 대해서도 대응 체계를 구축할 수 있으나 특히 화재나 침수 사고 등 원격으로도 초기 대응이 필요한 사항도 이에 해당한다.

#### (2) 사이버 보안 기술

최근 컴퓨터 시스템과 인터넷, 무선 네트워크에 대한 의존도가 증가되는 상황에서 사이버 보안이 강조되고 있다. 자율운항선박도 선박의 다양한 장치들을 종합·자동적으로 제어하고 선박 정보를 관리하기 위해 컴퓨터 시스템과 네트워크를 사용하게 되므로, 민감한 정보의 액세스/변경/삭제, 사용자의 금전 갈취, 정상적인 비즈니스 프로세스 중단을 목적으로 하는 사이버 공격의 대상이 될 수 있다. 자율운항선박 운용시 발생할 수 있는 이러한 해킹, 사이버 테러 등을 능동적으로 차단할 수 있는 보안관리 기술이 사이버 보안 기술에 포함된다.

### 바) 성능실증 및 운용 훈련 기술

#### (1) 시운전/시뮬레이션 기반 성능실증

자율운항선박의 안정성 등 성능확보와 이를 활용한 관련 기술축적, 자율운항선박 시장선점과 국제 표준화 선도를 위해 시운전/시뮬레이션을 통한 자율운항선박 및 관련 시스템의 성능실증이 시운전/시뮬레이션 기반 성능실증에 해당된다.

이는 자율운항선박 및 구성 시스템의 상용화 이전에 시뮬레이션 및 실해역 시험을 통하여 다양한 운항환경에서 성능을 검증하여 기술완성도를 높이기 위한 목적으로의 시뮬레이션 검증 시스템, 실해역 시험 인프라, 실증 시험법 개발 등을 포함한다.

#### (2) 운용 훈련 및 훈련 장비 기술

자율운항선박의 경우 다수 선박의 운항/운용을 필요로 할 가능성이 크며, 이를 위한 육·해상 운용 인력 양성을 위한 교육 기술 및 제반 시스템 기술이 요구된다. 이에 따라 자율운항선박/선대의 운용을 위한 업무 프로세스 정의 및 가상 환경을 통한 경험 확보를 통해 자율운항선박의 운용 기술력을 확보할 필요가 있다.

운항조종사 업무능력 향상을 위한 훈련 장비 및 프로그램 개발은 자율운항에 있어 인간의 개입을 최소화하고 간섭에 따른 혼선을 방지하기 위함으로 이는 자율운항선박의 불확실성, 다양성, 자율지능 한계에 대한 운항조종사의 이해력 향상과 경험적 노하우를 축적하기 위해 필요한 기술이다.

### 3) 자율운항선박 주요 기술

#### 가) 국외 기술

##### (1) 유럽

유럽연합(EU)은 해상 항해를 위한 완전 스마트 자율운항선박을 운영하는 경제적, 기술적 및 법적 타당성을 평가하기 위한 MUNIN(Maritime Unmanned Navigation through Intelligence in Networks) 프로젝트를 수행하였다.

롤스로이스는 연안 해역에서 운영되는 완전 자율운항선박의 개발을 위하여 핀란드에서 공동 산업 프로젝트인 "AAWA(Advanced Autonomous Waterborne Application)" 프로젝트를 수행하고 있으며, 자율운항선박 개발 로드맵을 발표한 바 있다.

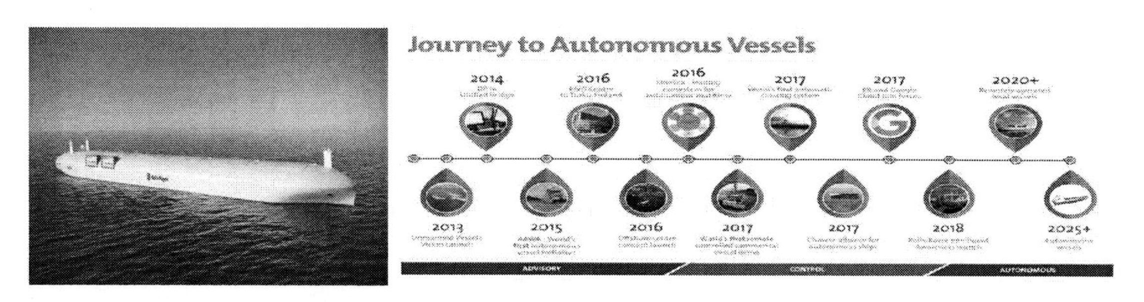


[그림 88] 자율운항선박 개발 로드맵(Rolls-Royce)

DNV-GL은 센서 기술, 해상 연결성, 분석 및 의사 결정 지원 소스트웨어와 알고리즘의 개발을 위한 ReVolt 프로젝트를 준비했다. 본 프로젝트는 다양한 자동화 애플리케이션과 개념을 갖춘 광범위한 분야에 대해 다루며, 완전 무인 선박부터 지상에서 원격 제어되는 선박에 이르기까지를 포함한다. 시작이 되는 기술은 충돌 전에 승무원에게 경고하거나 운영을 최적화하는 데 도움이 되도록 지원하는 시스템을 대상으로 한다.

[그림 89] ReVolt Project(DNV-GL)

노르웨이의 해양기술 회사인 Kongsberg Gruppen ASA는 자국 비료회사인 YARA International과 협력하여 자율운항 화물 컨테이너선인 YARA Birkeland를 건조했다. 본 선박은 당초 2020년 운항 예정이었으나 코로나 19 등 여러 상황으로 인하여 2020년 11월에 인도되었으며, 2021년 운행이 시작될 것으로 전망되고 있다.

IBM사와 ProMare사가 2016년부터 기획하여 공동 개발한 해양조사 자율운항선박 메이플라워호는 2021년 내에 영국을 떠나 미국까지 대서양 횡단하는 것을 목표로 하고 있으며, 현재 시험운항을 진행하고 있다.

유럽은 지속 가능한 비즈니스를 개발하고 도로 혼잡 및 관련 오염을 완화하기 위해 복합 운송의 새로운 패러다임을 추진하고 있다. 2001년부터 바다의 고속도로(Motorway of the Sea; MoS)라는 개념이 개발되었으며, 그 근간은 유럽에 새로운 복합 해양 기반 물류 체인을 만드는 것에 있다. 본 프로젝트의 목표는 2030년까지 도로화물의 30% 이상을 300km 이상의 복합 솔루션을 이용하도록 전환하는 것이다. 이러한 해양 기반 물류 체인을 위해 AUTOSHIP이라는 실제 환경에서 사용 가능한 차세대 자율선박을 개발하기 위한 프로젝트를 진행 중이다.

유럽 최대의 복합 운송 업체 Samskip사는 폴란드, 스웨덴 서해안 항구 및 오슬로 피요르드를 연결하는 두 대의 완전 전기 선박 개발을 추진하는 프로젝트 SeaShuttle의 주요 파트너로 선정되어 수소 연료 전지를 사용하는 자율 운항 컨테이너선을 개발중에 있다. Wärtsilä 기술그룹은 하이브리드 추진 장치와 무선 충전 시스템을 장착한 Norled사의 Folgefonn 페리선에 대하여 세계 최초의 자동 도킹 기술 테스트를 수행한 바 있다.

Rolls-Royce는 Falco 페리선의 운항에 센서 융합 및 인공지능을 사용한 충돌회피를 수행하고 경로와 속도를 자동으로 변경할 수 있는 자율 네비게이션 기능을 통한 자동 접안을 시연한 바 있다. 본 시스템은 육상에서 자율운항 과정을 모니터링하고 필요한 경우 선박을 제어할 수 있는 기능도 갖춘 것으로 알려져있다. 스위스에 본사를 둔 ABB 그룹은 아이스 클래스 페리선 Suomenlinna II로 헬싱키 항구 근처에서 원격 조종을 시연한 바 있다.

소형 예인선에 대한 자율운항기술의 적용이 몇몇 기관에 의해 진행된 바 있음. Rolls-Royce는 Svitzer Hermod라는 예인선에 대하여 덴마크 코펜하겐 항구에서 원격 운항 시연을 한 바 있으며 미국 Robert Allan사는 RAmora 2400 자율운항 예인선의 개념 모델을 제시한 바 있다.

### (2) 일본

일본은 선내 서비스 및 애플리케이션 플랫폼 구축, 선박 계측 빅데이터 활용 애플리케이션 개발, 선박-육상 네트워크를 활용한 애플리케이션 개발 관련 연구 등을 진행 중으로 이와 관련하여 Smart Ship Application Platform에 대한 표준을 제시했다. NYK, MOL, 미쓰비시 등 해운사와 조선소는 해난사고를 줄이기 위해 2025년까지 스마트자율운항선박 화물선 250척에 대한 공동개발 계획 가지고 자율운항시스템 개발 추진 중이다.

### (3) 중국

중국 HNA Technology Group Co, Ltd.가 이끄는 무인 화물선 개발 동맹이 ABS, CCS, 중국 선박 연구 개발 연구소, 상하이 해양 디젤 엔진 연구소, 후동중화조선, 중국 해양 디자인 연구소(MARIC), Rolls-Royce 및 Wärtsilä 등 9 개 회원으로 구성되어 자율운항선박 기술개발을 추진하고 있다.

### 나) 국내 기술개발 동향

#### (1) 스마트쉽 솔루션

국내에서는 주로 유인선박에 대하여 선내 데이터를 수집하고 활용하는 스마트쉽 솔루션의 개발이 이루어져 왔다.

##### (가) 현대중공업

현대중공업그룹은 2017년 선박의 운항 정보를 실시간 수집·분석해 에너지를 효율적으로 관리하고 최적의 운항 경로까지 제안하는 선박용 사물인터넷(IoT) 플랫폼 '통합스마트십솔루션(ISS)'을 개발했다. 또한, 현대중공업그룹은 2017년 엔진의 실시간 운전, 상태 정보를 수집하는 선박 엔진과 제어기, 각종기관 등의 운항 정보를 위성을 통해 육상에서 모니터링하고 원격진단·제어할 수 있는 HiCAS(Hyundai intelligence Combustion Analysis System)를 개발했다.

이후, 현대중공업그룹은 2020년 '지능형 선박기자재관리솔루션(HiEMS; Hyundai Intelligent Equipment Management Solution)'을 발표하고, 최적의 경제운전을 지원하는 선박운전최적화 시스템을 발표했다.

##### (나) 대우조선해양

대우조선해양은 육상에서도 항해 중인 선박의 메인 엔진, 공조시스템(HVAC), 냉동컨테이너 등 주요 시스템을 원격으로 진단해 선상 유지·보수작업을 지원할 수 있는 스마트십 솔루션 'DS4 (DSME Smart Ship Platform)'을 발표했다.

##### (다) 삼성중공업

삼성중공업은 2018년 운항 중인 선박과 육상을 하나로 연결해 선박의 경제안전운항 솔루션을 제공할 수 있는 S.VESSEL을 발표했다. 이를 선박 생애 주기관리(Life-cycle management)를 위한 기기 고장진단예측 및 유지보수 서비스까지 포함하도록 개발 중이다.

##### (라) HMM

HMM은 전 세계에서 운항 중인 HMM 스마트 선박들의 위치, 입출항 정보, 연료 소모량, 기상 상황, 화물 적재 현황 등을 실시간으로 파악할 수 있는 선박종합상황실을 개설했다. 선박종합상황실에서는 위험요소 사전식별 및 관리, 주요 정보 공유 등을 통해 선박의 효율성 향상과 안전 운항을 지원하며, 선박 승인시 육상에서 선박 일부 기능 제어가 가능하다고 알려져 있다.

### (2) 자율운항선박 보조 기술

최근 자율운항선박에 대한 보조 기술이 개발되어 시연되고 있는 상황이며, 이는 주로 운항자를 위한 기술로 항해 상황에 대한 인식 및 정보 도시, 충돌 위험도 제시 등의 내용을 다루고 있다.

#### (가) 현대중공업

현대중공업그룹은 2020년 자율운항 보조기술인 '항해지원시스템(HiNAS; Hyundai Intelligent Navigation Assistant System)'을 발표했다. 이는 선박 카메라 분석을 통해 주변 선박을 자동으로 인식, 충돌 위험을 판단하고 이를 증강현실(AR) 기반으로 항해자에게 알리는 시스템이다.

최근 현대중공업그룹은 2020년 선박 이접안 상태에서 선박 주변 상황을 톱뷰(Top View) 영상으로 제공하는 '이접안지원시스템(HiBAS; Hyundai Intelligence Berthing Assistance System)'을 발표했다.

#### (나) 삼성중공업

삼성중공업에서는 2020년 원격자율운항 시스템 'SAS(Samsung Autonomous Ship)'를 예인 선박 'SAMSUNG T-8' 호에 탑재해 실증했다. 삼성중공업은 목포해양대 실습선인 '세계로호'에 독자 개발한 원격자율운항 시스템 'SAS(Samsung Autonomous Ship)'를 탑재하고, 이르면 2021년 목포-제주 실습 항로 중 일부 구간에서 원격자율운항 기술을 실증할 계획이다.

### (3) 자율운항선박 기술

2020년 산업통상자원부와 해양수산부가 공동 추진하는 '자율운항선박 기술개발사업'이 착수되었다. 본 사업에서는 지능형 항해시스템, 기관 자동화시스템, 통신시스템, 육상운용시스템을 개발하여, 25m급 시험선과 국제 항해가 가능한 실증선 등에 단계적 실증을 진행할 계획이다.

개발된 시스템의 통합 성능 검증을 위하여 울산광역시 고늘지구에 자율운항선박 성능실증센터를 구축할 계획이며, 국제경쟁력 강화와 기술 선점을 위해 개발하는 기술의 국제 표준화도 동시에 추진하고 있다.

## < 참고 문헌>

[1] 2017 조선,해양산업 인력현황 보고서, 해양산업 인적자원개발위원회, 2017.07
[2] Shipbuilding 상승 압력이 강해진다, 이동헌, 대신증권, 장기전망 시리즈, 2019.05.24.
[3] 2019년 조선업 Keyword: '산업 내 구조조정', 'LNG선 수주 증가', '환경규제 강화', 김연수, NICE 신용평가, 2019.05.09.
[4] 해운·조선업 2019년 상반기 동향 및 하반기 전망, 한국수출입은행, 2019.07.18.
[5] 해운·조선업 2019년도 3분기 동향 및 2020년도 전망, 한국수출입은행, 2019.10.30.
[6] 해운업의 어제와 오늘, 그리고 내일, 삼정 KPMG, 2019
[7] Nor-Shipping 2019에 나타난 해외 및 국내 조선산업 현황과 과제, 한국수출입은행, 2019.06
[8] 조선업, 한번쯤은 정리가 필요한 중국의 조선산업, 삼성증권, 2019.10.01.
[9] 2019년 상반기: 성장국면 초입 매크로는 잊어라!, NH투자증권, 2019.01.11.
[10] 돌아오는 싸이클, 반등 준비가 된 조선, 이현수, 유안타증권, 2019.04.23.
[11] 2021년 조선업 산업전망, 신영증권, 2020.11.11.
[12] 글로벌 해운시장 전망과 시사점, BNK경제연구원, 2021.03
[13] 해운·조선업 2020년 동향 및 2021년 전망, 한국수출입은행, 2021.01.28.
[14] 주요 주간 동향 리스트, KMI 중국연구센터 동향&뉴스, 2021.04
[15] 현대중공업(주), 한국기업평가, 2020.12.18.
[16] 삼성중공업 (010140.KS), NH투자증권, 2020.11.24.
[17] 삼성중공업 (010140), KB증권, 2021.04.01.
[18] 2021년 조선업 산업전망, 신영증권, 2020.11.11.
[19] 해상환경규제 효과에 의한 신조선 발주 전망, 한국수출입은행, 2021.06
[20] 미래 조선/해운 산업 선도를 위한 자율운항선박 기술, 해양수산과학기술진흥원, 2021.03

**초판 1쇄 인쇄** 2016년 11월 21일
**초판 1쇄 발행** 2016년 11월 22일
**개정판 1쇄 발행** 2018년 3월 12일
**개정2판 발행 2019년 2월 25일**
**개정3판 발행 2020년 1월 16일**
**개정4판 발행 2021년 08월 02일**

**편저** ㈜비피기술거래
**펴낸곳** 비티타임즈
**발행자번호** 959406
**주소** 전북 전주시 서신동 832번지 4층
**대표전화** 063 277 3557
**팩스** 063 277 3558
**이메일** bpj3558@naver.com
ISBN 979-11-6345-296-6 (13550)
이 도서는 조선산업 위기와 대응의 개정판입니다.
이 도서의 국립중앙도서관 출판예정도서목록(CIP)은 서지정보유통지원시스템 홈페이지(http://seoji.nl.go.kr)와국가자료공동목록시스템(http://www.nl.go.kr/kolisnet)에서 이용하실 수 있습니다.